Les Éditions du Boréal
4447, rue Saint-Denis
Montréal (Québec) H2J 2L2
www.editionsboreal.qc.ca

L'Âge des ténèbres

Le Déclin de l'Empire américain, scénario, 1986.

Jésus de Montréal, scénario, 1989.

Les Invasions barbares, scénario, 2003.

Hors champ, écrits divers 1961-2005, collection « Papiers collés », 2005.

Les gens adorent les guerres et autres inédits, textes dramatiques, 2007.

Denys Arcand

L'Âge des ténèbres

scénario

Boréal

Le film *L'Âge des ténèbres*, réalisé par Denys Arcand et produit par Cinémaginaire, est distribué au Canada par Alliance Atlantis Vivafilm (www.allianceatlantisvivafilm.com). Sa sortie en salles a eu lieu le 7 décembre 2007.

Conception de la couverture : Cri Communications inc. (photo Jan Thijs)
Photos hors-texte : Jan Thijs

Les Éditions du Boréal reconnaissent l'aide financière du gouvernement du Canada par l'entremise du Programme d'aide au développement de l'industrie de l'édition (PADIÉ) pour ses activités d'édition et remercient le Conseil des Arts du Canada pour son soutien financier.

Les Éditions du Boréal sont inscrites au Programme d'aide aux entreprises du livre et de l'édition spécialisée de la SODEC et bénéficient du Programme de crédit d'impôt pour l'édition de livres du gouvernement du Québec.

Diffusion au Canada : Dimedia
Diffusion et distribution en Europe : Volumen

Catalogage avant publication de Bibliothèque et Archives nationales du Québec et Bibliothèque et Archives Canada
Arcand, Denys, 1941-
  L'Âge des ténèbres
  ISBN 978-2-7646-0524-0
  1. Âge des ténèbres (film cinématographique). I. Titre.
PN1997.2.A33   2007   791.43'72   C2007-942210-1

Préface

J'ai parfois l'impression que la fin de la Seconde Guerre mondiale sera un jour considérée comme la fin de ce qu'on appellera peut-être la civilisation occidentale. Celle qui est née en Europe avec Dante, Chaucer et Montaigne se meurt lentement sous nos yeux, et sa mort nous a été annoncée par Dostoïevski, Proust et Kafka. Cette civilisation reposait sur la foi et sur les livres. Paradoxalement les livres ont fini par remettre en question la foi, et le château de cartes s'est écroulé. Si Dieu n'existe pas, tout est permis. Comment faire du théâtre après Beckett ? Comment faire de la musique après Schoenberg ? Du jazz ? Le jazz aussi a disparu à la mort de Coltrane. Comment peindre après Warhol ? Les deux derniers grands cinéastes, Bergman et Antonioni, sont morts cet automne. Il n'y en aura plus d'autres. Nous entrons dans un nouveau Moyen Âge totalement mystérieux.

Les grandes migrations sont commencées. Montréal, que j'ai connue blanche et chrétienne, est maintenant vietnamienne, haïtienne, russe et nord-africaine. Londres est en partie noire et musulmane, comme Paris et Madrid. Les Gitans et les Albanais sont à Milan. Les États-Unis sont un tiers hispanophones. Miami est déjà une ville d'Amérique latine. Les pays vont se dissoudre et les langues se perdre. Même les diplômés universitaires sont incapables d'écrire convenablement le français, l'anglais ou l'allemand. Les journaux sont truffés de fautes de grammaire. Les quatre cent mots de l'anglais primaire seront notre bas-latin. Les contractions du « chatting » feront office de nouvelle syntaxe. Les guerres de religion ont repris et les grandes épidémies vont vraisemblablement revenir.

Je ne suis pas du tout nostalgique du passé. Il n'y a jamais eu d'âge d'or. L'Inquisition, le colonialisme, l'esclavage et les camps de concentration appartiennent à la civilisation occidentale. Beaucoup de raisons de ne pas la regretter outre mesure. Mais elle nous fournissait une tradition, des références, des balises. Sans elle, nous risquons la tour de Babel, le chaos, la dérive. Voici l'histoire d'un homme à la dérive. Un homme seul, perdu. Un homme qui cherche une voie et qui finira par la trouver après bien des péripéties. Un homme de notre temps. Un écrivain berlinois m'affirmait il y a trois ans : « Au fond vous n'avez qu'un seul sujet : l'absence de Dieu. » Mon ami et collègue Jean Beaudin me disait l'autre jour : « Tes films parlent toujours des deux mêmes choses : notre solitude et notre angoisse. » Ce scénario-ci ne les contredira pas.

Denys Arcand

Personnages et interprètes

JEAN-MARC LEBLANC	Marc Labrèche
VERONICA STAR	Diane Kruger
SYLVIE CORMIER-LEBLANC	Sylvie Léonard
CAROLE BIGRAS-BOURQUE	Caroline Néron
LE PRINCE CHANTANT	Rufus Wainwright
BÉATRICE DE SAVOIE	Macha Grenon
KARINE TENDANCE	Emma de Caunes
WILLIAM CHÉRUBIN	Didier Lucien
LAURENCE MÉTIVIER	Rosalie Julien
SAINT BERNARD DE CLAIRVAUX	Jean-René Ouellet

LE SUPÉRIEUR IMMÉDIAT	André Robitaille
THORVALD LE VIKING	Hugo Giroux
LE MOTIVATEUR HILARE	Christian Bégin
THIERRY ARDISSON	Lui-même
LAURENT BAFFIE	Lui-même
BERNARD PIVOT	Lui-même
LA MÈRE DE JEAN-MARC	Françoise Graton
PIERRE	Pierre Curzi
CONSTANCE LAZURE	Johanne Marie Tremblay
RAYMOND LECLERC	Gilles Pelletier
NICOLE PÂQUET-PLOURDE	Elizabeth Lesieur
DAME À LA MINERVE	Paule Baillargeon
ALBERT MONDOUX	Richard Thériault
MICHEL	Pierre Bernard
LA JEUNE FEMME ARABE	Monia Chokri

LE PRÊTRE CHANTANT	Michel Rivard
MONSEIGNEUR L'ÉVÊQUE	Jacques Lavallée
FURIE N° 1	Ève Gadouas
FURIE N° 2	Karen Elkin
FURIE N° 3	Eugénie Beaudry
GARDE DE SÉCURITÉ	Gaston Lepage
HOMME À L'HOSPICE	Luc Proulx

Fiche technique

Réalisateur/scénariste	Denys Arcand
Producteurs	Denise Robert Daniel Louis
Directeur photo	Guy Dufaux
Scénographie	François Séguin
Créateur des costumes	Judy Jonker
Montage	Isabelle Dedieu
Création sonore	Marie-Claude Gagné
Son	Paul Lainé Diane Boucher Cyril Holtz Philippe Amouroux

Casting	Lucie Robitaille
Musique originale	Philippe Miller
Orchestration et direction des airs d'opéra	François Dompierre et Les Violons du Roy
Premier assistant réalisateur	Marc Larose
Coproducteurs	Dominique Besnehard Philippe Carcassonne Michel Feller
Superviseur de production	Hélène Grimard
Directeur de production	Michel Chauvin
Directeur de postproduction	Georges Jardon
Distribution au Canada	Alliance Atlantis
Ventes à l'étranger	StudioCanal

Intérieur jour — Un palais — Chambre

Dans une chambre immense et somptueuse de style moyen-oriental, une belle femme blonde est étendue sur un lit princier. On la devine nue sous les draps satinés, entourée de coussins aux riches couleurs. La porte grillagée tout au fond de la chambre s'ouvre pour laisser entrer un beau jeune homme vêtu comme un prince des mille et une nuits. Il traverse la chambre en chantant l'air « Du moment qu'on aime », extrait du troisième acte de l'opéra Zémire et Azor de Grétry. L'espace d'un instant, son visage se métamorphose en celui d'un autre homme (dont on comprendra plus tard qu'il s'agit de Jean-Marc Leblanc, un fonctionnaire d'âge moyen au physique ordinaire), puis l'image redevient normale. Le jeune homme écarte le rideau qui entoure le lit de la jeune femme. Surprise, elle a le réflexe de couvrir sa nudité. Le prince s'agenouille au pied du lit et lui chante son amour. La femme tombe sous le charme. À la fin de l'air, le visage de Jean-Marc Leblanc se superpose encore brièvement sur celui du chanteur. Puis on voit de nouveau la femme, qui sourit au beau jeune homme. Pendant toute cette séquence, on aura vu défiler discrètement le générique de début.

Intérieur jour — Cottage banlieusard des Cormier-Leblanc

> *Couché dans son lit, Jean-Marc sourit angéliquement. Il rêve qu'il fait l'amour à Veronica Star, la belle femme blonde de la scène précédente.*

VERONICA

Jean-Marc ! Oh ! Jean-Marc ! Oui ! Oui !

> *Sylvie Cormier-Leblanc, la femme de Jean-Marc, monte l'escalier en composant un numéro sur son portable. Sa voix acariâtre se superpose à celle de Veronica.*

SYLVIE

Jean-Marc ! Jean-Marc ! *(Elle entre dans la chambre.)* Jean-Marc, il est six heures et demie ! C'est toi qui vas reconduire les filles à l'école !

> *Elle ouvre brusquement les rideaux, laissant voir un décor de banlieue cossue. Debout devant la fenêtre, elle parle dans son portable.*

SYLVIE *(suite)*

Allô, Nicole ? Je te réveille pas ? Oui, ben, c'est ça, tant qu'à faire, vaut mieux commencer à travailler !

> *Par la fenêtre, on voit passer un autobus scolaire. Jean-Marc se réveille, s'étire dans son lit, soupire.*

Intérieur jour — Cottage des Cormier-Leblanc — Douche

Jean-Marc se lave longuement sous la douche. Veronica apparaît soudainement derrière lui.

VERONICA

Je t'attendais.

Il se retourne et l'enlace. Ils s'embrassent.

VERONICA *(suite)*

C'est un grand classique, la douche! *(Collée contre lui, elle se retourne vers la caméra, comme si elle se regardait dans un miroir.)* Tu vois, là, on voit bien mes fesses. On devine un sein, comme ça, de profil. *(Elle se tourne vers lui.)* C'est parfait pour la censure américaine… *(Ils s'embrassent de nouveau.)*

Sylvie entre dans la salle de bains en coup de vent, l'écouteur de son portable vissé à l'oreille.

SYLVIE

Non, il n'en est pas question! Je m'excuse, ma belle, mais j'ai trois visites avant onze heures…

Elle passe devant la vitre transparente de la douche, où l'image de Veronica se désintègre tandis que Jean-Marc continue d'étreindre un fantôme.

SYLVIE *(suite)*

… une prise de mandat à une heure et demie, et il faut que je sois chez le notaire à cinq heures. *(Jean-Marc revient à la réalité et continue de se doucher.)* La seule possibilité serait vers trois heures… *(Elle ouvre l'armoire à pharmacie, avale deux comprimés.)* Trois heures et demie maximum *(gros plan sur plusieurs flacons d'antidépresseurs et d'anxiolytiques)*, sinon on remet ça à demain. Je m'excuse, mais je travaille trop fort, je peux pas être disponible tout le temps ! Il faut que tout le monde au bureau comprenne ça.

> *Avant de sortir, elle prend dans l'armoire un masque sanitaire en coton blanc, comme en portent les Orientaux lors des épidémies de grippe.*

Intérieur jour — Cottage des Cormier-Leblanc — Cuisine

> *Dans la cuisine dernier cri où l'on ne voit aucune trace d'aliment, Jean-Marc, tout habillé et cravaté, attache sa montre et allume la radio.*

RADIO

L'épidémie a fait pour l'instant quatre mille cinq cents morts dans l'ouest du pays. Pendant ce temps, au Québec, la super-bactérie Clostridium difficile continue de se répandre dans les hôpitaux. *(Jean-Marc sort du congélateur un « authentique petit-déjeuner du terroir » qu'il dépose dans un four micro-ondes pré-programmé.)* On compte jusqu'à maintenant huit cent vingt-cinq morts, concentrés surtout en Montérégie. Tous les hôpitaux de la région ont d'ailleurs été interdits au public.

Jean-Marc fait quelques pas en direction de la chambre de ses filles.

JEAN–MARC

Mégane ! Coralie ! On part dans cinq minutes !

RADIO

… par le ministère de la Santé. Par ailleurs, trente-huit mille Québécois apprendront cette année qu'ils ont le cancer, et la moitié en mourront.

> *L'air préoccupé, Jean-Marc s'immobilise au bord du comptoir de la cuisine.*

Extérieur jour — Cottage des Cormier-Leblanc

> *Jean-Marc et ses deux filles de quinze et de treize ans sortent de la maison. Les filles, encore endormies et vêtues de leur uniforme d'école, grignotent des barres de céréales. La plus jeune porte un iPod d'où s'échappe une musique techno rythmée. La voiture sort de l'entrée et s'éloigne dans la rue. C'est un quartier de banlieue cossue, où les maisons ressemblent à de petits châteaux, mais où les arbres sont encore tout petits.*

Extérieur jour — Voiture de Jean-Marc

> *Assise à l'arrière, Coralie grignote sa barre tendre en écoutant sa musique techno. Agacé, Jean-Marc allume la radio qui diffuse de la musique classique.*

MÉGANE *(assise à l'avant, son portable collé à l'oreille)*

Pas ça ! Please !

Jean-Marc éteint la radio.

MÉGANE *(dans son téléphone portable)*

… non, je sais, y est tellement cool !

JEAN-MARC *(à Coralie)*

Alors, vous faites quoi à l'école aujourd'hui ?

Coralie ne lui répond pas, perdue dans son univers. Jean-Marc se tait. Grignotements des deux filles, qui mangent leurs barres tendres.

Extérieur jour — École privée

La voiture s'arrête devant une école secondaire privée. En descendant de la voiture, les deux filles se couvrent le visage d'un masque en coton blanc. Les autres jeunes filles en uniforme qui gravissent l'escalier sont aussi masquées, ainsi que les quelques adultes qui les accompagnent.

Extérieur jour — Voiture de Jean-Marc

Jean-Marc est au volant de sa voiture, la radio est allumée.

… l'incident s'est produit dans l'escalier roulant de la station Beaudry. La dame de quatre-vingt-cinq ans a été sauvagement assaillie par un jeune homme d'une quinzaine d'années. *(Jean-Marc passe devant un bungalow mis en vente. Une pancarte est piquée sur la pelouse. On y voit la photo de sa femme et son nom : Sylvie Cormier-Leblanc.)* Elle repose dans un état critique à l'hôpital Notre-Dame. *(Jean-Marc se retrouve sur une autoroute de banlieue très achalandée.)* La police se refuse pour l'instant à établir un lien avec cet autre attentat, survenu la semaine dernière à la station Villa-Maria, quand une dame de soixante-trois est morte… *(Jean-Marc remarque un grand panneau publicitaire annonçant un spectacle médiéval,* La Quête du Graal. *On y voit quatre chevaliers avec épées et armures, dressés sur leurs montures.)*… après avoir été poussée sur les rails du métro par les membres d'un gang de rue. La question de la sécurité dans le métro…

Extérieur jour — Embouteillage monstre sur une autoroute de banlieue

> *Prisonnier de l'embouteillage, Jean-Marc attend patiemment au volant de sa voiture. Dans une voiture à côté, un jeune homme pas rasé et à la mine hostile s'énerve.*

JEUNE HOMME

Hostie, c'est quoi le problème ? Avance, hostie de niaiseux ! *(Constatant que Jean-Marc le regarde, il lui tend son majeur et l'insulte à travers la vitre baissée.)* Qu'est-ce que tu veux, toé, câlisse ?

Le jeune homme gesticule de plus en plus tandis que sa voix se perd dans un chaos sonore où se mêlent le brouhaha d'une foule et des pizzicati de violons. Jean-Marc prend une grande inspiration, aperçoit dans le rétroviseur une femme qui fume nerveusement au volant de sa voiture, puis une autre qui hurle dans un portable. Jean-Marc inspire de nouveau, et le chaos sonore fait place à une musique céleste, au-dessus de laquelle s'élève la voix de Bernard Pivot.

BERNARD PIVOT *(v. o.)*

Le prix Goncourt…

Intérieur jour — Un café parisien

Devant un parterre de journalistes, de micros et de caméras, Bernard Pivot annonce l'attribution du célèbre prix littéraire.

BERNARD PIVOT *(suite)*

… a été décerné, au premier tour de scrutin et à l'unanimité, à l'écrivain québécois Jean-Marc Leblanc, pour son roman *Un homme sans intérêt*. Merci!

Applaudissements de la foule.

Extérieur jour — Cottage des Cormier-Leblanc

Assailli par les journalistes devant sa maison, Jean-Marc fait face aux caméras. Karine Tendance, une jeune et jolie journaliste française, lui tend un micro.

KARINE *(l'air médusé)*

C'est invraisemblable ! Personne ne vous connaît ! C'est le premier livre que vous écrivez ? C'est absolument incroyable !

JEAN-MARC *(on voit sa maison derrière lui, où un squelette en plastique est suspendu près de la porte)*

En fait, je me suis retrouvé à quarante-quatre ans dans cette maison hypothéquée, en train de vivre une vie banale, une vie anonyme, sans espoir… Une vie sans intérêt *(sourire)*. Alors j'ai voulu essayer de comprendre mon cheminement. Quelles erreurs j'avais commises. Et comment est-ce que j'ai bien pu faire pour aboutir ici *(il indique la maison derrière lui)*.

> *Karine le contemple d'un air quasi extatique.*

Extérieur jour — Cottage des Cormier-Leblanc

> *Karine entraîne Jean-Marc sur le côté de la maison. Elle s'arrête un instant et le saisit par le collet.*

KARINE

Moi, c'est les écrivains. Je suis folle des écrivains !

> *Jean-Marc rit bêtement. Elle l'entraîne jusqu'à l'arrière de la maison, s'arrête de nouveau.*

KARINE *(haletante)*

C'est l'intelligence qui me séduit. Je suis comme ça, j'y peux rien !

Ils montent sur le balcon à l'arrière de la maison. Karine commence à enlever sa petite culotte.

KARINE

Je veux que vous me preniez tout de suite ! *(Sa petite culotte tombe par terre.)* Ici et maintenant. Sans façon. Devant tout le monde.

En gémissant, elle se précipite vers la balustrade, se penche en présentant ses fesses à Jean-Marc. Une femme est en train de prendre son café dans la cour voisine. Faisant fi de l'absurdité de la situation, Jean-Marc s'avance vers Karine en détachant son pantalon.

KARINE *(haletante)*

Prends-moi très fort !

La voisine est manifestement gênée par cette scène. Après avoir eu quelque difficulté à détacher son pantalon, Jean-Marc commence à pénétrer Karine, qui halète de plus en plus fort.

Extérieur jour — Stationnement d'une gare de banlieue

Jean-Marc sort de sa voiture et met son masque sanitaire. Il se dépêche de monter à bord du train de banlieue.

24

Intérieur jour — Train de banlieue

Jean-Marc se trouve une place dans le wagon bondé. Tous les voyageurs sont masqués, et la plupart parlent dans leur téléphone portable. On entend la cacophonie assourdissante que forment toutes ces conversations entremêlées. Calmement assis, Jean-Marc s'inquiète lorsque le train s'arrête inopinément.

Extérieur jour — Train de banlieue

Le train s'est immobilisé près d'une gare de triage désaffectée. Un mécanicien descend du train et donne des coups de marteau sous l'un des wagons. De longues flammèches en jaillissent. On entend les pizzicati d'un ensemble de violons qui vont en s'accentuant.

Extérieur jour — Stade olympique

Jean-Marc sort d'une station de métro et se dirige à pas pressés vers le Stade olympique, sur la façade duquel une immense banderole indique « Gouvernement du Québec ». Les pizzicati de violons atteignent leur apogée et cessent brusquement lorsque la caméra s'immobilise sur la banderole.

Intérieur jour — Stade olympique

Jean-Marc contourne le stand d'information à l'entrée du stade, où trône le Gardien principal, qui s'entretient avec une requérante. Tous les gens qui circulent dans ce lieu portent un masque sanitaire.

GARDIEN PRINCIPAL *(à une requérante qui attend au comptoir, documents en main)*

Pour le ministère de la Justice, madame, vous prenez le corridor derrière moi, à droite, vous vous rendez jusqu'au basilaire orange, vous montez dans l'ascenseur du bloc G, vous sortez au niveau 300, vous tournez à gauche dans le déambulatoire de service.

> *La femme hoche la tête d'un air perplexe.*

> *Passé la rotonde, Jean-Marc aperçoit un gardien qui s'apprête à faire une ronde de sécurité à bord d'une voiturette de golf. Il lui tend sa carte d'identité officielle du gouvernement.*

JEAN-MARC

Monsieur ! S'il vous plaît ! Je suis à l'OPDC. Je suis terriblement en retard.

> *Il épingle sa carte d'identité au revers de son veston, et monte à l'arrière de la voiturette électrique. Une voix se fait entendre dans des haut-parleurs très puissants.*

HAUT-PARLEUR

Bienvenue à la centrale administrative du gouvernement du Québec. Soyez sûr de bien identifier l'itinéraire du département vers lequel vous vous dirigez.

> *La voiturette électrique s'engage à haute vitesse dans un dédale invraisemblable de rampes, de corridors et de salles abandonnées. À*

chaque embranchement, on voit des panneaux indicateurs couverts de sigles et de flèches. Tous les sigles contiennent la lettre « Q » : SEPAQ, SSSQ, RAAQ, etc. À un moment, la voiturette passe près d'une grande plaque de béton écroulée. Une pancarte indique « Attention chute de béton ! » La voiturette croise d'autres voiturettes, des piétons avec leurs documents à la main, et quelques secrétaires les bras chargés de dossiers. La voiturette débouche sur le plancher en béton du gigantesque amphithéâtre olympique. Une voix de femme se fait entendre dans les haut-parleurs.

HAUT-PARLEUR

Le ministère de la Santé, du Bien-Être et de la Solidarité sociale du Québec est heureux de permettre maintenant le retrait des filtres nosocomiaux. Votre gouvernement veille sur vous ! *(Jean-Marc retire son masque.)*

> *La voiturette s'arrête au pied d'un escalier que Jean-Marc grimpe en courant. Il débouche dans les bureaux temporaires de l'OPDC. À partir de ce moment, les gens ne portent plus de masques. Une voix se fait entendre dans les haut-parleurs.*

Intérieur jour — Stade olympique — Bureaux de l'OPDC

HAUT-PARLEUR

Vous êtes ici dans les bureaux de l'Office de la protection du citoyen. Un intervenant vous écoute.

> *En se rendant à son bureau, Jean-Marc croise sa supérieure immédiate, Carole Bigras-Bourque, qui regarde sa montre.*

CAROLE *(agressive)*

Toujours le train de banlieue en panne ?

JEAN-MARC *(exaspéré)*

Toujours.

> *Jean-Marc pénètre dans son cubicule de travail. Il enlève sa veste, met en marche son ordinateur. Carole se tient dans la porte du bureau.*

CAROLE *(agressive)*

Chérubin a déjà ouvert cinq dossiers !

JEAN-MARC *(d'un ton arrogant)*

Chérubin travaille comme un nègre. Dans son cas, ce serait difficile de faire autrement.

> *Visage scandalisé de Carole. À l'arrière-plan, on aperçoit William Chérubin, un fonctionnaire d'origine haïtienne, qui est assis à son bureau. Un homme se présente à la porte du bureau de Jean-Marc.*

JEAN-MARC *(suite)* *(à Carole)*

Excuse-moi.

JEAN-MARC *(suite)* *(à l'homme)*

Assoyez-vous.

> *Carole s'en va, visiblement en colère.*

Intérieur jour — Stade olympique — Bureau de Jean-Marc

> *Pierre s'assoit en face de Jean-Marc. Il s'agit du même personnage que dans* Le Déclin de l'Empire américain *et* Les Invasions barbares, *sauf qu'il a beaucoup vieilli. C'est un homme brisé, à la voix pleine de tristesse. Une branche de ses lunettes a été réparée avec du scotch tape.*

PIERRE *(l'air piteux)*

J'ai épousé il y a cinq ou six ans une femme beaucoup plus jeune que moi. Notre mariage a été un enfer. Finalement, elle a demandé le divorce. Nous n'avons absolument rien en commun.

JEAN-MARC *(attentif)*

Pourquoi vous l'avez épousée ?

PIERRE

À cause d'une attirance sexuelle incroyable, je pense. *(Il réfléchit.)* Au-delà de ça, je vois pas.

JEAN-MARC *(songeur)*

Remarquez que, moi non plus, je sais pas pourquoi j'ai épousé ma femme, ni ce que je fais avec elle.

PIERRE

Pendant les procédures de divorce, elle a téléphoné à la police pour dire que je l'avais menacée physiquement. Le juge lui a tout donné. La maison, la voiture, tout. Je peux voir mes filles uniquement deux heures par mois, sous la supervision de la cour.

JEAN-MARC

Est-ce que vos filles sont heureuses de vous voir ?

PIERRE

C'est sûr !

JEAN-MARC

Profitez-en, parce que plus tard ça va se gâter. J'ai deux adolescentes. Je pourrais crever, je crois pas qu'elles s'en rendraient compte.

PIERRE

J'enseignais à l'Université, mais maintenant, je suis en congé de maladie. J'ai dépensé tout ce que j'avais en frais d'avocats. Je sais plus où me loger. Je voudrais savoir si je suis admissible à un type de logement social, genre HLM ou quelque chose comme ça…

> *Touché par l'histoire de Pierre, Jean-Marc lui répond très doucement.*

JEAN-MARC

L'OPDC, c'est un organisme provincial. Le logement est une juridiction municipale.

PIERRE

C'est vrai, j'aurais dû savoir ça.

JEAN-MARC

Il faut vous adresser à la SHDM. C'est derrière la CDP.

PIERRE

Excusez-moi de vous avoir dérangé.

JEAN-MARC *(l'air troublé)*

De rien. On est là pour ça.

Extérieur jour — Parc olympique

Jean-Marc, William Chérubin et Laurence Métivier (une jeune fonctionnaire aux cheveux tirés en chignon) sortent du stade par une porte dérobée et se retrouvent sur une vaste plate-forme de béton. Dans une anfractuosité du béton, ils ont caché des paquets de cigarettes. Ils s'assoient côte à côte sur une rambarde pour fumer. Laurence réprime un bâillement.

LAURENCE

Ah, je m'endors !

WILLIAM

Tu sors trop.

LAURENCE

Non, c'est ma nouvelle copine qui me tient réveillée. À cinq heures du matin, elle avait les deux mains dans mon pyjama.

WILLIAM

Moi, ma femme m'a jamais réveillé, sauf en ronflant.

LAURENCE

Ta femme t'a jamais réveillé pour te faire l'amour ! ?

WILLIAM

Jamais.

LAURENCE *(à Jean-Marc)*

Toi ?

JEAN-MARC

Oh, moi ! J'ai pas… J'ai pas fait l'amour… Je sais pas, depuis un an et demi peut-être ?

LAURENCE

Tu fais quoi ? T'as des aventures, des maîtresses ?

JEAN-MARC

Même pas.

LAURENCE *(interloquée)*

Rien?

JEAN-MARC

Rien.

WILLIAM *(terre à terre)*

Tu vas attraper un cancer de la prostate.

JEAN-MARC *(d'un ton résigné)*

J'ai un cabanon au fond de ma cour. Je me garde une boîte de Kleenex et deux trois magazines pornos. Et puis voilà…

> *Un silence.*

LAURENCE

Mais tu pourras pas indéfiniment…

> *On entend soudain un aboiement sourd. Ils éteignent frénétique-*
> *ment leurs cigarettes, font disparaître leurs mégots et se cachent der-*
> *rière le muret de béton. Sur une plate-forme inférieure, deux agents*
> *de sécurité passent en voiturette de golf. Sur la banquette arrière, un*
> *chien de garde est aux aguets. La voiturette s'immobilise. Le chien*
> *gronde. Jean-Marc réprime un accès de toux. La voiturette*
> *s'éloigne. Les trois compagnons rentrent en vitesse dans le bâti-*
> *ment.*

Intérieur jour — Stade olympique — Bureaux de l'OPDC

En traversant les bureaux de l'OPDC, ils croisent Carole.

CAROLE *(agressive)*

Vous étiez sortis fumer?! *(Elle s'approche de Jean-Marc tandis que les deux autres continuent leur chemin.)* Vous savez très bien qu'il est strictement interdit de fumer dans un rayon d'un kilomètre de tout bureau du gouvernement du Québec! Un jour, Jean-Marc Leblanc... *(Jean-Marc s'éloigne)*, la patrouille anti-tabac va te trouver *(il se retourne vers elle)*, et tu vas être congédié, mon vieux!

Jean-Marc fixe Carole des yeux. Deux culturistes noirs surgissent soudainement, vêtus de pagnes, et s'emparent de Carole.

CAROLE *(suite)*

Ben voyons! Ben, lâchez-moi, voyons! Jean-Marc! Sécurité! Ici! Au secours!

On entend une musique de tam-tam tandis que les deux culturistes entraînent Carole en dehors des bureaux de l'OPDC.

Intérieur jour — Stade olympique — Plate-forme olympique

Les deux hommes attachent Carole à un poteau de torture installé sur la plate-forme olympique. Assis sur un siège royal et vêtu comme un empereur romain, Jean-Marc fume une cigarette et jouit manifestement de ce spectacle.

CAROLE *(à Jean-Marc)*

Jean-Marc ! Lâchez-moi, voyons, lâchez-moi !

JEAN-MARC

Madame Bigras-Bourque ? Vous avez hélas abusé de ma patience.

CAROLE *(furieuse tandis qu'on l'attache au poteau)*

Je voudrais pas être à ta place, Jean-Marc Leblanc, quand tu vas passer devant le Conseil du statut de la femme !

JEAN-MARC

Faites-la taire !

Les culturistes mettent un bâillon à Carole dont on n'entendra plus que des rugissements étouffés.

JEAN-MARC *(suite)*

Malheureusement pour vous, Carole, je crois qu'il va falloir vous discipliner. *(Les culturistes commencent à déchirer les vêtements de Carole, qui hurle et gémit.)* Et j'ai ici l'homme tout désigné.

Arrive William Chérubin, déguisé en prince africain.

JEAN-MARC *(suite)*

Le prince Ouadabongo est un souverain lascif et cruel. *(Carole vocifère des menaces inaudibles.)* Il n'aime rien tant que d'avilir la femme blanche. *(Carole vocifère de plus belle, presque nue sous ses vêtements en lambeaux.)*

> *Le prince africain s'approche d'elle, soulève sa jupe avec son sceptre. Carole hurle.*

WILLIAM *(à Jean-Marc)*

Jolie femme tout de même !

> *Jean-Marc sourit et aspire une bouffée de cigarette. Les culturistes emmènent Carole, toujours attachée au poteau. William les suit en ricanant. Laurence se présente, déguisée en reine Bérénice.*

LAURENCE *(à Jean-Marc)*

Ne vous offensez pas si mon zèle indiscret
De votre solitude interrompt le secret.

JEAN-MARC

N'accablez point, madame, un prince malheureux.
Il ne faut point ici nous attendrir tous deux.

> *Laurence s'approche de Jean-Marc. On entend au loin les cris de Carole.*

CAROLE *(v. o.)*

Non ! Pas ça ! Non ! Aaaah !

> *Laurence pose la main sur l'épaule de Jean-Marc.*

Intérieur nuit — Une salle de théâtre

Nous sommes brusquement transportés sur la scène d'un théâtre où Jean-Marc et Laurence jouent Bérénice de Racine. Ils saluent sous les applaudissements nourris du public.

Intérieur nuit — Loge de Jean-Marc

Karine Tendance fait irruption dans la loge où Jean-Marc commence à retirer son costume d'empereur.

KARINE

C'était géant! C'était immense!

JEAN-MARC

Merci…

KARINE *(elle se cramponne à lui)*

Une telle intensité! Une telle puissance! Moi, un grand acteur, je suis incapable de résister. *(Elle commence à retirer sa petite culotte.)* Je suis comme ça, j'y peux rien, c'est moi! *(Elle tire le rideau de la loge.)* Prends-moi tout de suite! *(Elle se place devant le miroir et s'offre de dos à Jean-Marc.)* Là, comme ça, ici! Fort, prends-moi fort!

Jean-Marc hésite un instant, écoute le public qui continue d'applaudir dans la salle, puis il enlace Karine par-derrière.

Intérieur jour — Stade olympique — Bureau de Jean-Marc

Nous voilà de nouveau dans le cubicule de Jean-Marc. Il est assis à son bureau, les yeux fermés. Devant lui est maintenant assise une pauvre dame dont le cou est maintenu par une énorme minerve.

DAME À LA MINERVE *(d'une voix geignarde)*

M'écoutez-vous, monsieur ?

Jean-Marc ouvre les yeux.

JEAN-MARC

Mais oui, bien sûr. J'étais concentré. Excusez-moi. Continuez.

DAME À LA MINERVE

J'essayais d'atteindre le dernier volume des Statuts refondus de 1948. L'escabeau a glissé, moi aussi. Ma tête a frappé le dossier du fauteuil de maître Ménard… J'ai presque écrasé maître Ménard lui-même ! *(Jean-Marc se force pour l'écouter.)* Il m'a donné la permission d'aller à l'hôpital, c'est un homme très bon. J'ai pris ma voiture. J'étais arrêtée à un feu rouge. Il y a un genre de Chinois qui m'a frappée à toute vitesse par en arrière avec son Jeep. La Régie de l'assurance-automobile refuse de me payer : ils disent que c'est un accident de travail. *(Jean-Marc écoute d'un air las.)* La Commission des accidents du travail dit que c'est un accident automobile. Je comptais sur une indemnisation rapide, mais je m'aperçois qu'il y a loin de la coupe aux lièvres.

JEAN-MARC *(en prenant des notes sur son ordinateur)*

Est-ce que vous avez des économies ?

DAME À LA MINERVE

Peu.

JEAN-MARC *(tout en écrivant à l'ordinateur)*

Comme il s'agit d'un conflit entre deux organismes gouverne-mentaux, simplement essayer de les faire communiquer entre eux, c'est généralement assez long.

DAME À LA MINERVE

Long comment ?

JEAN-MARC

La dernière fois, la conciliation a duré deux ans et demi.

DAME À LA MINERVE *(en geignant)*

Deux ans et demi !

JEAN-MARC

Pour la conciliation. Le règlement du dossier a pris cinq ans.

DAME À LA MINERVE *(désespérée)*

Cinq ans !

Extérieur jour — Rue de banlieue

Jean-Marc roule en écoutant la radio.

La calotte glacière a fondu de près de vingt pour cent au cours des quinze dernières années. Le niveau de l'océan Arctique menace maintenant plusieurs communautés autochtones qui devront être déplacées. La fonte des banquises a fait également des...

Extérieur jour — Stationnement d'un hospice

Jean-Marc gare sa voiture. Au même moment, quatre hommes déguisés en chevaliers de l'Ordre du Temple quittent l'immeuble. Jean-Marc sort de sa voiture et se dirige vers l'immeuble tandis que les chevaliers retirent leurs épées et s'engouffrent dans une camionnette.

Intérieur jour — Hospice

Jean-Marc entre dans l'hospice et s'engage dans un corridor. Le spectacle est désolant. Des vieillards, hommes et femmes, errent dans le plus grand désarroi. On voit même un vieil homme nu, sauf pour une couche sanitaire, qui marche avec un appareil à soluté.

Intérieur jour — Hospice — Chambre de la mère de Jean-Marc

Jean-Marc entre dans une chambre à quatre lits, où une vieille femme est assise dans une berceuse près de la fenêtre. Jean-Marc s'approche d'elle et lui donne un baiser sur le front.

JEAN-MARC

Bonsoir, maman. Ça va bien ?

Il se tire une chaise, s'assoit tout près de sa mère et prend ses mains dans les siennes.

JEAN-MARC *(suite)*

Je leur avais dit la semaine dernière de t'asseoir le plus souvent possible… *(Sa mère le regarde, l'air hagard. Il essaie de paraître enjoué.)* J'espère que tu as passé une bonne semaine… Moi, ç'a été comme d'habitude… C'est toujours la même chose…

Sa mère ne dit rien et ne fait aucun geste. Jean-Marc se tait, mal à l'aise. Un vieillard surgit soudainement dans la chambre. Il s'adresse à Jean-Marc en émettant une série de sons inarticulés dont seule l'intonation laisse comprendre qu'il est en colère. Jean-Marc fait mine de comprendre.

JEAN-MARC *(suite)*

Ah oui ?

Le vieillard désigne la mère de Jean-Marc. Il semble vouloir dire quelque chose à son sujet.

JEAN–MARC *(suite)*

Ah bon ! D'accord.

Le vieillard sort tout en vociférant. La mère le suit des yeux sans aucune réaction.

JEAN–MARC *(suite) (d'une voix douce, en regardant par la fenêtre)*

L'automne s'en vient. Je trouve des feuilles mortes le matin sur le capot de ma voiture.

Il regarde sa mère en souriant tendrement. Elle n'a aucune réaction. On le sent osciller entre tendresse et désarroi. Il caresse les mains de sa mère.

Intérieur nuit — Chambre du couple Cormier–Leblanc

Sylvie et Jean-Marc sont étendus dans leur lit. Adossée à trois oreillers, Sylvie parle au téléphone en jouant à un jeu électronique sur son Blackberry, en même temps qu'elle jette un coup d'œil distrait sur une émission de fin de soirée à la télé installée au pied du lit. Jean-Marc est étendu sur le dos, les mains derrière la nuque. Il contemple le plafond.

SYLVIE

Je suis désolée, monsieur Bergeron, mais la loi est très claire : s'il y a eu un suicide dans une maison, le vendeur est obligé d'en avertir l'acheteur. Un suicide, c'est un peu comme un vice de construction, si vous voulez, comme de l'amiante dans les murs, par exemple. Je veux pas remuer des souvenirs pénibles, mais bon, vous avez retrouvé votre femme pendue dans la salle de bains, tout le quartier le sait. Vous êtes tenu de le déclarer… Non, il y a aucun problème, je vous attends, allez-y… Non, non je reste en ligne, vous inquiétez pas…

Un silence.

JEAN-MARC

Je suis inquiet pour ma mère.

Sylvie ne lève pas les yeux de son jeu électronique.

SYLVIE

Ah oui ?

JEAN-MARC

Oui. Elle…

SYLVIE

Oui, monsieur Bergeron, ce que je voulais vous dire, c'est que généralement, il faut prévoir un rabais de quinze à vingt mille dollars dans un cas comme le vôtre. Remarquez que ces chiffres-là peuvent changer rapidement. *(Jean-Marc prend ses lunettes sur la table de chevet. Au cadran, on peut lire qu'il est*

43

11 h 20.) Les gens sont de plus en plus habitués. La société a quand même évolué. *(Jean-Marc se lève et sort de la chambre.)*

SYLVIE *(suite) (sans prêter attention à Jean-Marc)*

Simplement, dans mon secteur, ici, on a facilement un suicide tous les ans, alors il faut voir la chose de façon positive…

Extérieur nuit — Cottage des Cormier-Leblanc

> *En robe de chambre, Jean-Marc sort de la maison par la porte arrière, et traverse la cour où scintille une belle piscine creusée. Il se dirige vers son cabanon, ouvre la porte et allume la lumière. À l'intérieur, on découvre des étagères chargées de livres. Jean-Marc allume une cigarette et se penche à la fenêtre. Veronica Star apparaît soudainement, vêtue d'une élégante robe de chambre rouge. Elle tend un verre de scotch à Jean-Marc.*

VERONICA *(d'une voix douce)*

Bonsoir, mon chéri.

JEAN-MARC *(heureux de la voir)*

Bonsoir, mon amour.

> *Ils s'embrassent tendrement.*

Intérieur nuit — Une maison de rêve

> *Jean-Marc et Veronica font quelques pas et se retrouvent dans un grand salon luxueux et confortable. Des bûches flambent dans un foyer imposant. Des bougies sont allumées un peu partout. Veronica saisit au passage une coupe de champagne sur une table. Ils se dirigent vers un sofa placé devant le feu.*

VERONICA *(en s'assoyant sur le sofa)*

Comment va ta mère ?

JEAN–MARC *(en s'assoyant tout près d'elle)*

De plus en plus mal ! Elle est complètement absente.

VERONICA *(d'une voix caressante, en lui mettant la main sur l'épaule)*

Ah, ça doit être tellement dur pour toi !

JEAN–MARC

C'est dur, parce que c'était la dernière personne qui me restait. Le dernier lien. *(Veronica hoche la tête d'un air compréhensif.)* J'ai ni frère, ni sœur, mon père est mort, j'ai pas d'amis. Je suis vraiment complètement seul.

VERONICA *(en lui caressant le cou)*

Non ! Je suis là, moi !

JEAN-MARC

Heureusement, oui, sinon je sais pas ce que je ferais.

Elle lui baise la main.

JEAN-MARC *(suite)*

Et toi, ça va ?

VERONICA *(en se détachant légèrement)*

Oh, tu sais, moi, c'est toujours la même chose. *(Jean-Marc lui caresse les cheveux.)* Des managers, des journalistes, des photographes : les même sangsues, quoi ! *(Jean-Marc boit une gorgée de scotch.)* C'est comme ça… *(Elle le regarde avec tendresse.)* Tu peux pas savoir comme ça me fait du bien d'avoir quelqu'un comme toi dans ma vie !

Il lui sourit, ils s'embrassent tendrement.

Intérieur jour — Stade olympique — Salle de réunion

Jean-Marc entre dans une salle de réunion, où plusieurs personnes sont assises autour d'une grande table rectangulaire. On reconnaît entre autres Carole Bigras-Bourque, William Chérubin et Laurence Métivier. Au bout de la table, Gilles Sansregret préside l'assemblée.

GILLES SANSREGRET *(à Jean-Marc)*

Asseyez-vous.

JEAN-MARC

Merci.

Jean-Marc s'assoit dans le seul fauteuil vacant.

GILLES SANSREGRET

J'imagine que vous savez pourquoi vous êtes ici ?

JEAN-MARC

Non.

GILLES SANSREGRET

Vous n'avez aucune idée ?

JEAN-MARC

Aucune.

GILLES SANSREGRET

En tant que votre supérieur immédiat et cadre attaché à la réin-génierie de la gestion du personnel dans la région administrative 02, je dois vous demander de me préciser si, dans votre travail de fonctionnaire du gouvernement du Québec, vous avez utilisé, pour désigner votre collègue, M. William Chérubin, le mot « nègre » ?

JEAN–MARC

Jamais !

CAROLE

Je l'ai clairement entendu !

GILLES SANSREGRET

Vous contredisez Mme Bigras-Bourque ?

WILLIAM CHÉRUBIN

Comme je l'ai déjà dit, ethnologiquement et lexicalement, il n'est pas faux de dire que je suis un nègre…

CAROLE *(tranchante)*

Chérubin, c'est pas à vous qu'on parle !

JEAN–MARC

Ce que j'ai dit, c'est que mon ami Chérubin travaillait « comme un nègre ».

CAROLE

Voilà !

JEAN–MARC *(d'un ton moqueur)*

D'ailleurs, il échafaude souvent des plans de nègre, à propos desquels il se fait du sang de nègre. *(Sansregret l'écoute d'un air perplexe.)* Sans compter que son morceau de piano favori est « Le Petit Nègre » de Claude Debussy, et que son roman préféré est *Le Nègre du Narcisse* de Joseph Conrad.

GILLES SANSREGRET *(en riant jaune)*

Monsieur Leblanc, vous savez que le mot « nègre » est interdit sur le territoire du Québec! Ma collègue, Mme Pâquet-Plourde, de l'Office de la langue française, va nous apporter des précisions.

PÂQUET-PLOURDE *(en consultant l'écran de son ordinateur portable)*

En effet, le 18 novembre 1999, l'Office de la langue française a décrété que « nègre » devenait un non-mot. L'expression a été radiée en même temps que « négresse » et « naine ». Ils doivent être impérativement remplacés par « souche équatoriale » et « petite personne ». Ces décisions ont été entérinées ultérieurement d'abord par la Commission de protection de la langue française *(Jean-Marc la fusille des yeux)* et ensuite par le Conseil supérieur de la langue… *(Sansregret regarde Jean-Marc d'un air entendu.)* J'ai ici les procès-verbaux…

> *La scène se transforme soudainement. Vêtu d'un kimono noir et blanc, Jean-Marc bondit dans les airs en poussant un cri de samouraï. Tous le regardent d'un air stupéfait.*

JEAN-MARC

WASABI! UNAGI KUROSAWA!

Il retombe debout sur la table, dégaine son sabre et s'avance à petits pas rapides en direction de Gilles Sansregret, puis lui tranche la tête d'un seul coup. La tête de Sansregret roule sur la table sous le regard horrifié des participants. Les femmes hurlent. Mme Pâquet-Plourde s'évanouit. Un puissant jet de sang jaillit du cou décapité de Sansregret. Puis la scène revient brusquement à la normale.

LAURENCE *(assise à côté de William Chérubin)*

En tant que déléguée syndicale, je rappelle que le tribunal du travail, dans son jugement du 17 février 2006, a admis l'hypertension administrative, appelée aussi « stress du fonctionnaire », comme pathologie spécifique admissible juridiquement. Pour nous, cette pathologie a été l'élément déclencheur de la déviance transitoire de notre collègue Jean-Marc Leblanc.

Jean-Marc acquiesce de la tête en souriant, tandis que Carole hausse les sourcils, et que Gilles Sansregret paraît embarrassé.

Intérieur jour — Stade olympique — Bureau de Jean-Marc

Jean-Marc a devant lui Albert Mondoux, un cul-de-jatte, assis dans son fauteuil roulant.

ALBERT MONDOUX

Je voulais traverser le boulevard Henri-Bourassa, au coin de Christophe-Colomb. Une moto est arrivée, complètement hors de contrôle. J'ai pas eu le temps de réagir. J'ai été écrasé contre un lampadaire. Le lampadaire a été fauché. J'ai perdu mes deux jambes.

Il regarde tristement ses moignons, et sort un document officiel de la poche de son veston.

ALBERT MONDOUX *(suite)*

La Ville de Montréal me réclame la moitié du prix du lampadaire. Je me demandais si vous pouviez faire quelque chose…

Jean-Marc tend la main pour prendre le document et y jette un coup d'œil.

JEAN-MARC *(l'air découragé)*

Il y a un règlement municipal qui stipule que, quand le mobilier urbain est endommagé lors d'un accident, toutes les parties impliquées dans cet accident sont également responsables des dommages.

ALBERT MONDOUX *(interloqué)*

Oui, mais moi je suis la victime !

JEAN-MARC

Devant la loi, la victime fait partie de l'accident.

ALBERT MONDOUX *(sur le bord de craquer)*

J'ai perdu mes deux jambes, moi, monsieur ! Y faut que je paye en plus ?

JEAN-MARC

Oui. C'est comme ça que ça fonctionne, monsieur.

Il rend son document à Mondoux, qui n'en revient pas.

Extérieur jour — Route de campagne

La famille Cormier-Leblanc roule sur une route de campagne. À l'arrière de la voiture, Coralie regarde un film sur son lecteur de DVD portatif. Mégane tend le cou vers l'avant, fascinée par l'écran du téléphone portable de Sylvie, qui joue à un jeu vidéo.

MÉGANE *(à Sylvie)*

Wow! C'est le Super Akimbo?

SYLVIE *(concentrée sur le jeu)*

Je viens de le downloader.

MÉGANE

Cool, laisse-moi l'essayer!

Elle tend le bras pour enlever l'appareil à sa mère. Celle-ci résiste.

SYLVIE

Eh, ho! Je suis encore au premier niveau!

MÉGANE

C'est facile, laisse-moi faire !

SYLVIE

Attends !

> *Elle se concentre sur le jeu. On entend les petites ponctuations sonores du jeu vidéo. L'air sombre, Jean-Marc regarde la route devant lui. On entend une musique planante, puis des applaudissements en arrière-plan ainsi que la voix de Thierry Ardisson.*

THIERRY ARDISSON *(v. o.)*

Voici un homme dont tous les espoirs ont été exaucés…

Intérieur jour — Studio de télévision

> *On se retrouve sur le plateau de l'émission de Thierry Ardisson, qui mène le jeu.*

THIERRY ARDISSON

… un homme dont je suis terriblement jaloux, un homme que Veronica a décrit comme l'homme de ses rêves… J'accueille Jean-Marc Leblanc !

> *Les applaudissements du public se mêlent à une musique énergique. Jean-Marc, très sûr de lui, arrive sur le plateau. Il serre la main des gens assis dans les estrades sur les côtés, qui sont tous des*

bûcherons à la mine patibulaire, puis il vient s'asseoir près de Veronica, qu'il embrasse tendrement. Laurent Baffie le salue de la tête.

THIERRY ARDISSON *(suite)*

Jean-Marc Leblanc, on m'a raconté que du fond de votre obscure province *(Jean-Marc et Veronica continuent de se minoucher)*, vous avez toujours rêvé d'être invité à cette émission. C'est de l'info, c'est de l'intox ?

JEAN-MARC *(très souriant)*

Non, non ! C'est vrai. J'ai toujours rêvé de faire partie de cette émission.

THIERRY ARDISSON

Eh ben, mon vieux, je suis désolé de vous l'apprendre : cette émission n'existe plus.

JEAN-MARC *(surpris, de même que Veronica)*

Ah, non, c'est impossible, ça !

LAURENT BAFFIE

Si, c'est possible !

JEAN-MARC *(insistant, tandis que Veronica s'inquiète)*

Ah, non, je regrette. C'est impossible, ça !

THIERRY ARDISSON

Il va falloir vous faire une raison : en ce moment, je suis à Montréal. *(Les visages de Jean-Marc et de Veronica se décomposent.)* Ça, c'est le décor de Montréal, pas celui de Paris, d'ailleurs vous voyez bien. À Paris, les figurants auraient été des super gonzesses. Ici, au Canada, c'est des bûcherons !

LAURENT BAFFIE *(provocant)*

Cela dit, le petit barbu, derrière, est pas mal quand même !

THIERRY ARDISSON

Oui, c'est vrai.

Le barbu en question affiche un air insulté.

JEAN-MARC

Non, mais je m'excuse, je vis au Canada, monsieur ! Le Canada est sans intérêt. Moi, je veux que vous soyez à Paris !

Veronica paraît de plus en plus alarmée.

THIERRY ARDISSON

Oui, mais à Paris, mon émission a été abolie !

VERONICA *(au bord de la panique)*

Je… Je comprends pas très bien, là… J'suis où, là, en ce moment ? Je suis qui ?

Elle s'adresse à Laurent Baffie.

LAURENT BAFFIE

C'est pas grave. Vous vous rattraperez dans la prochaine séquence.

Jean-Marc a l'air totalement perplexe.

THIERRY ARDISSON

Y a des gens à la télévision française qui ont décidé de supprimer mon émission.

JEAN-MARC *(exaspéré)*

Mais c'est pas une raison, ça, monsieur ! Il y a des crétins partout ! Les fonctionnaires culturels canadiens sont des crétins redoutables ! Je peux vous en fournir des preuves !

Déconfite, Veronica boit une gorgée d'eau.

THIERRY ARDISSON

En tous les cas, je vous assure que nos crétins sont plus crétins que les vôtres.

LAURENT BAFFIE

Nous, on a même des cons chez nous.

THIERRY ARDISSON

C'est vrai…

JEAN-MARC *(de plus en plus exaspéré)*

Non, mais encore une fois, monsieur, je rêve à cette émission depuis des années, elle ne peut pas être supprimée, non !

THIERRY ARDISSON

Si !

JEAN-MARC

Non !

THIERRY ARDISSON

Si si !

JEAN-MARC

Non !

THIERRY ARDISSON *(en chœur avec Laurent Baffie)*

Si si si ! Si !

JEAN-MARC

Non, non, non !

LAURENT BAFFIE

Si si !

Thierry Ardisson hoche la tête. Jean-Marc hurle en se retournant vers les bûcherons.

JEAN–MARC

Non ! ! ! !

Extérieur jour — Route de campagne

Au volant de sa voiture, alors qu'il roule en compagnie de sa famille, Jean-Marc secoue la tête avec véhémence. Sylvie lève les yeux de son jeu électronique.

SYLVIE

Qu'est-ce qui te prend ?

JEAN–MARC

Quoi ?

SYLVIE

Tu fais des signes de tête.

JEAN–MARC

Oui, j'ai comme un torticolis…

La voiture roule sur une route bordée d'érables aux couleurs de l'automne.

Extérieur jour — Une rivière

On voit d'abord l'eau limpide d'une rivière, en même temps qu'on entend la voix de Sylvie.

SYLVIE *(v. o.)* *(dans son portable)*

Oui, je vous téléphone pour vous expliquer la situation…

En surplomb, on voit apparaître l'étrave d'un canoë qui glisse sur l'eau. Sylvie, Coralie et Mégane y sont agenouillées l'une derrière l'autre, sans rien faire, tandis qu'à l'arrière Jean-Marc avironne.

SYLVIE *(suite)* *(toujours dans son portable)*

Un soir, les propriétaires de cette maison sont en train de manger en famille… Et bang! Y a cinq hommes masqués qui défoncent la porte, se jettent sur eux, cherchent l'argent, torturent le mari, violent sa femme devant lui. Finalement, ils ne trouvent rien, et s'en vont. *(Sous un autre angle, on aperçoit les rives verdoyantes de la rivière, et le canoë qui glisse sur l'eau parsemée de feuilles mortes.)* La famille a quitté la maison le soir même. Ils sont traumatisés. Ils veulent absolument vendre le plus rapidement possible… La police est à peu près sûre que c'est des jeunes reliés aux gangs de rues du nord de Montréal… *(Le canoë file sous nos yeux. On peut voir que Coralie regarde un film sur un lecteur DVD portatif, et que Mégane écoute de la musique hip-hop sur son iPod.)* Disons qu'ils avaient un accent reconnaissable, si vous voyez ce que je veux dire… *(On entend vaguement la musique rythmée qui joue dans le iPod de Mégane.)* Non, non! C'est un cas absolument isolé. *(Le canoë glisse entre des saules pleureurs doucement agités par la brise.)* Dans mon secteur, une invasion de domicile, c'est la première fois. Normalement, c'est très sécuritaire. C'est sûr que s'ils avaient eu une clôture métallique et des gardiens à l'entrée comme aux États-Unis, ce serait encore mieux… *(Sur la rive, on aperçoit deux hommes qui se battent, torse nu, avec des armes médiévales. Seul Jean-Marc les remarque.)* Mais bon, que voulez-vous, on n'est malheureusement pas encore rendus là.

Le canoë s'éloigne tandis que, sur la rive, les deux hommes conti-nuent d'échanger des coups furieux. Non loin d'eux, une femme et deux enfants s'amusent près d'une table à pique-nique.

Intérieur jour — Stade olympique — Bureau de Jean-Marc

Jean-Marc s'entretient avec Michel, un homme d'environ quarante ans qui paraît fragile et extrêmement nerveux.

MICHEL *(en bégayant légèrement)*

Je suis professeur de sciences au secondaire, à l'école Louis-Joliette, pas loin d'ici. J'ai un élève cambodgien, Samnang, qui est le responsable du trafic d'héroïne à l'école.

JEAN-MARC

Il y a de l'héroïne au secondaire ?

MICHEL

De plus en plus. Samnang est absent les trois quarts du temps. Il n'étudie jamais. Le mois dernier, je lui ai donné une note de quinze pour cent. Il m'a attendu dans le corridor après la classe. Il m'a dit de lui mettre soixante-quinze pour cent, sinon il allait me tuer.

JEAN-MARC

Il a dit ça comme ça, je vais te tuer…?

MICHEL *(en se tordant une main et en bégayant de plus en plus)*

Exactement, oui. Le vendredi suivant, quand je suis sorti de l'école, il y avait des voitures de police partout dans la cour. *(Jean-Marc l'écoute attentivement.)* Ils venaient d'arrêter Samnang, qui portait une carabine automatique. Il m'attendait pour me descendre. Pour être chef de gang, il faut tuer quelqu'un. *(La caméra se rapproche du visage de Michel.)* Comme il n'a pas de casier judiciaire, ils l'ont relâché et il a été réadmis à l'école. La direction refuse de l'expulser, parce que c'est une école publique. La gang de Samnang connaît l'endroit où j'habite. Ils tirent des plombs dans mes fenêtres, ça fait trois fois qu'ils crèvent les pneus de ma voiture. Les policiers m'ont dit de me méfier, parce que cette gang-là a déjà massacré la famille d'un restaurateur vietnamien sur la Rive-Sud. *(Bouleversé, il a de plus en plus de mal à parler.)* Ils ont cloué un bébé vivant sur un mur. Je peux pas continuer, monsieur, je…

Michel s'interrompt, prêt à éclater en sanglots. Jean-Marc le regarde d'un air médusé.

Extérieur jour — Cottage des Cormier-Leblanc

Devant la maison, Mégane est en train d'embrasser Kevin Turpin, un jeune voisin. On entend le moteur de la voiture de Sylvie, qui arrive et se gare dans l'entrée. Les portières arborent de grandes photos couleur de Sylvie ainsi que ses coordonnées et celles de son agence immobilière : Canmax. Les amoureux vont se cacher. Sylvie sort de la voiture en parlant dans son portable, qu'elle porte accroché à l'oreille.

SYLVIE *(dans son portable)*

En fait, c'est triste à dire : c'est un couple qui a été très malchanceux. Lui était ingénieur dans une compagnie qui fabriquait des pièces d'automobiles pour la General Motors… *(D'un pas pressé, Sylvie gravit l'escalier du cottage.)* Et elle avait un poste important à Mirabel. L'aéroport a fermé, elle a été relocalisée à Dorval *(Sylvie ouvre la porte du cottage),* mais elle a dû consentir à une baisse de salaire assez substantielle.

Intérieur jour — Cottage des Cormier-Leblanc

Sylvie dépose sa serviette dans l'entrée et se dirige vers la cuisine tout en continuant de parler dans son portable. Assis au comptoir, Jean-Marc mange un plat réchauffé en lisant le journal. Plus loin, Coralie est assise sur le sofa, un ordinateur sur les genoux. Tout en continuant de parler dans son portable, Sylvie sort un plat préparé du congélateur, le place dans le micro-ondes et règle la minuterie.

SYLVIE *(en se mettant un couvert sur le comptoir en face de Jean-Marc)*

De son côté à lui, la General Motors s'est retrouvée au bord de la faillite, la sous-traitance a été rapatriée au Michigan, la compagnie a perdu tous ses contrats. Il a été licencié, il a cinquante ans, il est pratiquement inemployable. Ils doivent supporter une hypothèque de quatre cent vingt-cinq mille dollars et les taux d'intérêt remontent presqu'à chaque mois. Autrement dit, ce sont des vendeurs extrêmement motivés... Oui, le seul problème, c'est que le monsieur est en dépression. Il a été admis à l'hôpital du Sacré-Cœur, il est assis dans une chambre, les rideaux sont tirés, et semble-t-il qu'il pleure sans arrêt... *(gros plan sur le journal de Jean-Marc, où on peut lire les manchettes : Violence ordinaire en Irak, soixante et onze lacs contaminés au Québec),* alors je sais pas s'il est en état de recevoir un notaire. Laissez-moi trouver sa femme. Je vous rappelle dès que je la rejoins...

> *Elle coupe le contact de son téléphone et jette un coup d'œil sur Jean-Marc.*

SYLVIE *(suite)*

Ça va ?

JEAN-MARC

Oui, très bien. *(Il referme son journal.)* Justement, je voulais te parler de quelque chose...

> *Le téléphone de Sylvie sonne.*

SYLVIE

Excuse-moi, j'ai des urgences au bureau. Allô! Oui, Nicole…

Jean-Marc ouvre un magazine.

SYLVIE *(suite) (elle s'éloigne un peu)*

Des rats!? Comment ça, des rats? Voyons donc, il peut pas y avoir des rats partout! C'est une maison neuve!

Gros plan sur la couverture du magazine de Jean-Marc, où l'on voit une photo de Veronica Star posant dans une robe de grand couturier.

Intérieur jour — Holiday Inn de banlieue

Sylvie et Jean-Marc entrent dans le hall de l'hôtel. Ils n'ont pas l'air très heureux.

SYLVIE

Tu pourrais au moins me dire que tu es fier de moi!

JEAN-MARC

Je suis très fier, ma chérie.

SYLVIE

Je sais très bien ce que tu penses.

JEAN-MARC

Je pense rien du tout.

Sylvie aperçoit un couple qu'elle connaît. Sa mine renfrognée fait place à un sourire éclatant.

SYLVIE

Bonsoir! Comment ça va?

L'AUTRE FEMME

Ah, t'es magnifique!

SYLVIE

Ah, merci!

L'AUTRE FEMME

Comment ça va?

SYLVIE

Bien, super! *(Elle se retourne vers Jean-Marc, qui est resté à l'écart un instant, perdu dans sa rêverie.)* Tu restes planté là, ou tu m'accompagnes?

Le visage de Jean-Marc s'illumine d'un grand sourire, et on entend le bruit assourdissant d'une foule en délire. La scène se transforme soudainement, et l'on se retrouve en plein congrès politique. On voit des affiches avec la photo de Jean-Marc, sur lesquelles on peut lire le slogan « L'avenir est Leblanc ». Accompagné de gardes du corps, Jean-Marc pénètre dans le hall du même Holiday Inn, cette fois bondé de partisans qui scandent son nom. Jean-Marc s'avance en saluant la foule d'un air triomphant et heureux, il serre des mains, se présente devant les photographes. La reporter Karine Tendance s'approche, micro en main.

KARINE

Monsieur Leblanc, vous venez d'être élu à l'unanimité chef du Parti québécois. C'est une responsabilité écrasante, non ?

JEAN-MARC

Eh bien, je pense que toutes les Québécoises et tous les Québécois qui se sont décidés pour moi ont choisi quelqu'un qui rêvait de ce moment depuis très longtemps et qui représente, je le crois sincèrement, la jeunesse, le dynamisme, le renouvellement des idées, et le changement vers un meilleur avenir. Merci beaucoup !

Applaudissements et cris enthousiastes de la foule.

Intérieur jour — Holiday Inn de banlieue

Jean-Marc s'engage dans un corridor de service à la suite de Karine.

KARINE

Finalement, la politique, il y a que ça. Moi, ce qui m'excite, c'est le pouvoir, tu comprends ?

JEAN–MARC *(souriant toujours béatement)*

Han, han.

KARINE

Un chef de parti, je peux pas résister. C'est moi, j'y peux rien ! *(Ils débouchent dans un débarras, d'où l'on voit les cuistots s'affairer dans la cuisine.)* Vous allez me prendre ici *(elle enlève sa petite culotte)*, debout, comme ça, tout de suite… *(Gros plan sur les cuistots dans la cuisine)*, très fort, maintenant, prenez-moi très fort !

> *Elle se place devant une rangée de chaises et présente ses fesses à Jean-Marc. Celui-ci hésite un instant, souriant toujours de façon stupide.*

KARINE *(suite) (elle attend, l'air sérieux)*

Allez-y, mon ami !

> *Jean-Marc écoute la foule au loin qui scande son nom, puis il jette un coup d'œil autour de lui et se décide à se placer derrière Karine.*

Intérieur nuit — Holiday Inn de banlieue

> *On revient au banquet annuel des agents immobiliers Canmax. Sylvie et Jean-Marc sont assis à une table en compagnie d'autres agents. Jean-Marc est encore distrait par sa rêverie. Sylvie se retourne vers lui.*

SYLVIE

Tu pourrais au moins rapprocher ta chaise.

> *Jean-Marc déplace sa chaise de quelques centimètres pendant que Craig McKenna, président de Canmax, remet les prix annuels. Il parle avec un fort accent anglais.*

CRAIG MCKENNA *(debout sur le podium, une hôtesse à ses côtés)*

Et maintenant, dans la catégorie seconde couronne, pour la troisième année consécutive, la récipiendaire du trophée du président, avec un extraordinaire volume de vente de 7 545 000 dollars, notre championne : Sylvie Cormier-Leblanc !

> *Visiblement fière, émue et excitée, Sylvie se lève et se dirige vers le podium.*

Intérieur nuit — Hilton Hotel de Beverly Hills

> *La scène se transforme soudainement, et c'est Veronica Star qui s'avance vers un podium où l'attend Donald Sutherland pour lui remettre un trophée. L'atmosphère est nettement plus chic que dans le Holiday Inn de banlieue. Veronica monte sur le podium, remercie Sutherland et se place au micro.*

VERONICA

Thank you, thank you ! This is so unexpected ! *(Rires.)* I'm so happy ! There are many people I have to thank ! *(Sutherland hausse les sourcils.)* First of all, I'd like to thank this marvelous man who shares my life *(dans l'assistance, Jean-Marc, vêtu d'un smoking, est visiblement fier)*, this wonderful human being, Jean-Marc darling, this is yours too.

Le public applaudit, et Jean-Marc se lève pour saluer.

Intérieur nuit — Holiday Inn de banlieue

On revient au banquet des agents immobiliers Canmax. Sur le podium minable, Sylvie se fait photographier, son trophée de plastique à la main, en compagnie de Craig McKenna.

Dans la salle, une femme soûle accapare Jean-Marc.

DAME *(ivre)*

Ah, vous, là ! Vous, là, vous avez une femme extraordinaire ! *(Elle lui donne une tape sur la poitrine.)* Non, mais moi, c'est mon idole. J'en parle à tout le monde !

JEAN-MARC

Ah bon.

Il regarde au loin.

DAME *(d'une voix forte et nasillarde)*

Non, mais, c'est une femme tellement dynamique, tellement toujours positive. *(Jean-Marc regarde vers le podium, où Sylvie et Craig McKenna se font des minauderies.)* Son volume de vente est incroyable ! *(Elle rit de manière vulgaire.)* En plus, c'est une mère de famille, une vendeuse, une épouse. *(Elle sourit vulgairement, tripote la cravate de Jean-Marc.)* Je veux dire, vous devez tellement être fier d'elle !

JEAN-MARC

Je suis très fier, oui.

> *La femme rit de nouveau et s'éloigne en titubant. Le sourire de Jean-Marc fait place à une expression préoccupée. Sur le podium, Sylvie et Craig trinquent en se regardant dans les yeux.*

Intérieur jour — Stade olympique

> *Le Gardien principal répond à une jeune femme anglophone tandis que Jean-Marc, comme d'habitude, se précipite vers son bureau.*

GARDIEN PRINCIPAL

Je regrette, madame, les bureaux de l'OPDC sont fermés jusqu'à neuf heures et demie.

JEUNE FEMME ANGLOPHONE

My mother is very sick, sir. So she needs help, she can't wait !

GARDIEN PRINCIPAL

Je comprends, mais les intervenants sont en session de motivation de dynamique de groupe.

JEUNE FEMME ANGLOPHONE

I'm telling you that my mother is sick!

GARDIEN PRINCIPAL

Vous voudriez pas des intervenants démotivés, non ? Bon !

Intérieur jour — Stade olympique — Bureaux de l'OPDC

> *Gros plan sur le visage hyper souriant du motivateur.*

MOTIVATEUR

Et nous, ce qu'on dit, c'est que la solution à tout ça, c'est le rire !
Nous, à Humour-Québec, le rire, c'est presque une religion.

> *Jean-Marc arrive en courant, sa serviette à la main. Il rejoint les autres membres du bureau qui, assis sur des chaises dans la salle d'attente, écoutent le motivateur. Jean-Marc s'assoit à côté de Laurence, tandis que Carole lui jette un regard furieux.*

MOTIVATEUR *(suite)*

Mais pourquoi rire ? Et à ça, on répond : parce que la personne moderne, pour survivre dans le contexte actuel, se doit d'être une personne « festive ». *(Laurence jette un coup d'œil complice sur Jean-Marc.)* Et qu'est-ce que ça veut dire, festive ? Festive, ça veut dire : la fête. Ça veut dire le carnaval, ça veut dire les festivals ! *(Il s'excite en parlant.)* Maintenant, je vous entends me dire : mais comment ? *(William Chérubin soupire, assis sur sa chaise.)* Je suis tendu, je suis déprimé, j'ai pas du tout envie de rire. Et à ça, on vous répond : c'est pas grave. C'est pas grave, parce qu'on peut apprendre à rire ! *(Il s'enflamme.)* Et chez nous, à Humour-Québec, notre technique, qui est, soit dit en passant, internationalement reconnue, partout à travers le monde, est basée sur les voyelles. Et aujourd'hui, ensemble, on va commencer avec la voyelle « a ». Le « a » explosif : ha ! ha ! ha ! ha ! O.K., on y va, tout le monde ensemble : ha, ha, ha, ha !

Les participants répètent avec le motivateur, partagés entre la déprime et l'envie de se moquer de lui.

MOTIVATEUR *(suite)*

Très bien. Maintenant, on va y aller avec le « a » en cascade. Si on se ferme les yeux, on la voit, la cascade, ça fait : ah ah ah ah ! *(Il illustre ses paroles d'un geste de la main.)* On la voit descendre, c'est tout doux. O.K., on y va tout le monde ensemble : ah ah ah ah ah ! *(Les participants répètent avec lui sans grande conviction.)* C'est bien ! Bravo ! Vous voyez, on se sent déjà mieux !

Intérieur jour — Train de banlieue

Jean-Marc est écrasé dans son siège à bord du train de banlieue. Autour de lui, presque tout le monde parle dans un portable. On entend toutes sortes de conversations, dont certaines très personnelles, qui forment une insupportable cacophonie.

Intérieur jour — Hospice

On voit d'abord le visage d'une vieille dame qui semble dormir dans son lit, la bouche ouverte. On découvre qu'il s'agit d'une des voisines de chambre de la mère de Jean-Marc et qu'en fait elle est morte. La mère de Jean-Marc pousse des cris, terrifiée par la présence du cadavre. Jean-Marc la tient par les épaules et tente de la calmer.

JEAN-MARC *(d'une voix qui se veut rassurante)*

Ça va aller, maman. Ça va aller. Assieds-toi. *(Il la fait asseoir sur son lit.)* Les infirmiers vont venir. Je les ai prévenus. Calme-toi. Calme-toi, O.K. ? Ça va aller.

La mère de Jean-Marc continue à gémir. Il essaie de la calmer en lui frottant les bras et les épaules. Deux infirmiers entrent et recouvrent le cadavre d'un drap. La mère de Jean-Marc se calme, accepte de s'allonger sur son lit. Les infirmiers font glisser le cadavre sur une civière, puis ressortent en emportant la civière. Jean-Marc s'assoit sur une chaise près du lit de sa mère. Il regarde vers la porte par où la civière a disparu. On entend une voix off.

MÉDECIN *(v. o.)*

Alors, une bonne et une mauvaise nouvelle, monsieur Lem…, monsieur Leblanc.

Intérieur jour — Cabinet de médecin

On se retrouve dans le cabinet d'un médecin qui, tout en s'adressant à Jean-Marc, place des radiographies pulmonaires sur un écran lumineux. Il parle d'un ton terre à terre, sans manifester la moindre compassion.

La mauvaise, vous avez un cancer. La bonne, on peut vous opé-rer. *(Il étudie les radios à l'écran.)* Évidemment, pour opérer, il va falloir vous scier la cage thoracique, la récupération va être assez pénible. Après ça, il va y avoir la chimiothérapie, vous allez perdre vos cheveux, vous allez vomir sans arrêt, ça va être fran-chement dégueulasse. *(Il s'approche de Jean-Marc, qui est assis sur la table d'examen, en jaquette d'hôpital.)* Ensuite, vous allez avoir deux ou trois mois de rémission. Profitez-en bien, parce que normalement, tout de suite après, on va vous découvrir des métastases, probablement au cerveau. *(Il tripote les mâchoires et la tête de Jean-Marc.)* On va vous ouvrir le crâne pour enlever la nouvelle tumeur, on va vous faire de la radiothérapie, tout ça va être extrêmement douloureux, bien entendu. *(Il lui tapote le genou, puis se tient debout à côté de lui.)* Et malgré tout, les méta-stases vont continuer à se multiplier : les os, la colonne verté-brale, le bassin… À ce stade-là, la morphine devient inefficace. La douleur va être atroce. *(Il retire les radios de l'écran lumineux et les remet dans l'enveloppe.)* On va tester sur vous de nouveaux médicaments extrêmement dispendieux et qui n'auront aucun effet. *(Il parle de plus en plus vite.)* Éventuellement, vous allez perdre le contrôle de vos sphincters, on va vous mettre des couches. Vous allez baigner dans votre merde à la journée longue. Vous allez dégoûter tout le monde. Et puis, finalement, dans un an ou deux, vous allez crever comme un chien. Voilà. *(Il lance l'enveloppe sur la table d'examen et s'apprête à sortir.)*

JEAN-MARC *(toujours assis sur la table)*

C'est sympathique, tout ça !

MÉDECIN *(en se rapprochant de lui)*

Euh, c'est comme ça… Vous avez tiré le mauvais numéro…
C'est la vie !

Intérieur jour — Une église moderne de banlieue

> *Jean-Marc est étendu dans un cercueil ouvert, placé dans l'allée
> centrale d'une église absolument déserte, sauf pour la présence de
> Sylvie, de Mégane et de Coralie, assises d'un côté de l'allée, et de
> William Chérubin et de Laurence Métivier, assis de l'autre. À la
> tête du cercueil, un prêtre vêtu d'un pull à col roulé avec une croix
> dorée autour du cou officie, accompagné d'une dame qui joue le rôle
> d'enfant de chœur.*

PRÊTRE

Mes sœurs *(Sylvie jette un coup d'œil sur sa montre, on perçoit le hip
hop que Coralie écoute dans son iPod),* mon frère *(mines affligées de
William et de Laurence),* nous sommes ici aujourd'hui pour
accompagner le départ de notre ami, très cher, Jean-Guy.

> *La dame de chœur lui tire la manche et Sylvie le rappelle à l'ordre.*

SYLVIE

Jean-Marc !

PRÊTRE

Jean-Marc ! Exactement ! Jean-Marc, dis-je… Que pourrait-on
d'ailleurs dire de Jean-Marc ? *(Gros plan de Jean-Marc dans son
cercueil.)* Qu'il fut, d'abord et avant tout, un homme… *(Sylvie*

regarde sa montre de nouveau.) Un citoyen… Un mari… *(Il regarde Sylvie.)* Un père… *(Visages des deux filles qui ont des écouteurs dans les oreilles.)* On pourrait dire tellement de choses de Jean-Marc que, mon Dieu…

> *La sonnerie du portable de Sylvie retentit. Jean-Marc se réveille dans son cercueil.*

SYLVIE

Allô ? Excuse-moi, Nicole, je peux pas te parler maintenant. Je suis aux funérailles de mon mari en ce moment, je te rappelle dans… dix minutes ?

> *Elle interroge du regard le prêtre et son accompagnante. Tous deux lui signifient que ce sera plus long. Exaspéré par cette interruption, Jean-Marc repose la tête sur son oreiller.*

SYLVIE *(suite)*

Je te rappelle dans… vingt minutes. O.K. ? À tout de suite.

> *Le prêtre a pris une guitare et chante en duo avec la dame de chœur.*

PRÊTRE

Sur la barque du Père
Notre ami est parti
Il a quitté la terre
Mais il n'est pas enfui
Celui que nous aimions
Nous attendra bientôt

Chantant la création
De Jésus le Très Haut.

> *Visages impassibles de Sylvie et de ses filles. Visages émus de Laurence et de William. Dans son cercueil, Jean-Marc gémit d'horreur.*

Extérieur jour — Devant l'église

> *Laurence et William sortent de l'église et jettent un dernier regard au cercueil, qu'un employé des pompes funèbres réussit tant bien que mal à faire entrer dans le corbillard. Sylvie est prête à remonter dans sa voiture.*

EMPLOYÉ *(à Sylvie)*

Est-ce qu'on vous attend pour l'incinération ?

SYLVIE

Je m'excuse, je suis déjà en retard. Je travaille tellement fort !

> *Son portable sonne, elle fouille dans son sac pour le trouver.*

EMPLOYÉ

C'est pas grave, on vous garde les cendres pendant un mois. Si vous avez pas le temps de venir les chercher, on les met dans le compost.

SYLVIE *(tout en allumant son portable)*

Oh, mais c'est formidable ! Bon, il faut que je me sauve. Merci beaucoup !

EMPLOYÉ

Plaisir.

SYLVIE *(elle parle dans son portable en se dirigeant vers sa voiture)*

Allô ? Oui ? Non, non ! Là, c'est le bon moment…

Intérieur jour — Hospice — Chambre de la mère de Jean-Marc

On revient à Jean-Marc, toujours assis près du lit de sa mère, les yeux dans le vide. Finalement, il se lève et se penche vers elle pour l'embrasser.

JEAN-MARC *(d'une voix douce)*

Au revoir, maman. À la semaine prochaine.

Elle reste impassible. Il sort.

Extérieur jour — Cottage des Cormier-Leblanc

Jean-Marc arrive chez lui et gare sa voiture dans l'entrée. Sylvie est en train de mettre des valises dans le coffre de la sienne.

JEAN-MARC *(en sortant de sa voiture)*

Qu'est-ce qui se passe ?

SYLVIE *(la tête dans le coffre de sa voiture)*

Quoi, qu'est-ce qui se passe ?

JEAN-MARC

Tu t'en vas où ?

SYLVIE

À Toronto.

JEAN-MARC *(surpris)*

À Toronto ?

SYLVIE

Je te l'ai déjà dit.

JEAN-MARC *(énervé)*

Non, tu m'as rien dit du tout.

SYLVIE

Je t'en prie, sois pas de mauvaise foi.

Elle transporte une énorme valise et la met dans le coffre.

JEAN-MARC

Tu t'en vas faire quoi à Toronto ?

SYLVIE

Suivre des cours.

JEAN-MARC

Des cours de quoi ?

SYLVIE

Pour devenir courtière.

JEAN-MARC

T'es pas déjà courtière ?

SYLVIE

Affiliée. Je veux devenir courtière agréée. Je veux mon bureau à moi, tu le sais !

JEAN-MARC

Tu peux pas suivre ces cours-là à Montréal ?

SYLVIE *(en prenant d'autres paquets sur le perron)*

Je veux les suivre en anglais ! M. McKenna m'a trouvé une place.

JEAN-MARC *(agressif)*

C'est qui, ça, M. McKenna ?

SYLVIE *(elle met les paquets dans le coffre)*

Le président de la compagnie ! C'est lui qui m'a remis mon trophée ! T'étais à la soirée ! C'est quoi ton problème ? ! T'es déjà
sénile ? !

JEAN-MARC *(furieux)*

Et nos filles ! ?

SYLVIE *(continuant de remplir le coffre de sa voiture)*

Je leur ai déjà donné quinze et treize ans de ma vie. C'est à ton
tour de faire ta part !

JEAN-MARC

Tu leur as rien donné du tout !

SYLVIE

J'ai toujours été une très bonne mère ! Je suis ici tous les soirs !
Le nombre de déjeuners d'affaires que j'ai annulé à cause de ma
famille, t'en as aucune idée !

Elle ferme violemment le coffre de la voiture.

JEAN-MARC

C'est quand la dernière fois que t'as préparé un repas ?

SYLVIE

Je prépare les repas tous les jours.

Elle va chercher une enveloppe à costumes sur le perron.

JEAN-MARC

Je te parle pas de décongeler des bâtonnets de poisson ! Je parle d'un vrai repas avec une entrée, un plat principal, un dessert…

SYLVIE

Si tu voulais une femme traditionnelle, t'avais qu'à…

Elle met le sac dans la voiture.

JEAN-MARC *(en montant le ton)*

J'ai pas dit faire à manger tous les jours ! Un repas, une fois dans l'année, sacrament !

SYLVIE

Je m'excuse, mais je travaille trop fort pour rester là à me faire…

Elle s'apprête à entrer dans la voiture.

JEAN-MARC *(très énervé)*

Travailler trop fort, c'est pas une excuse, c'est pas une qualité, c'est pas intelligent, c'est bête, c'est borné, c'est stupide !

SYLVIE *(insultée)*

Fuck off !

> *Elle monte dans sa voiture.*

JEAN-MARC

Va donc chier… Va chier !

> *Elle démarre et s'éloigne rapidement. Jean-Marc monte lentement l'escalier et regarde la voiture s'éloigner, puis entre dans la maison.*

Intérieur jour — Cottage des Cormier-Leblanc

> *Jean-Marc erre dans la maison. Il descend au sous-sol. Mégane et Coralie sont totalement absorbées par un jeu vidéo qu'elles manipulent sur un écran géant. Il s'agit d'un jeu médiéval où des chevaliers s'affrontent sur le pont-levis d'un château. Elles ne remarquent même pas sa présence. Il remonte à la cuisine où l'attend Laurence, vêtue d'une robe moulante en satin, qui est occupée à mettre des fleurs dans des vases.*

LAURENCE *(d'un ton moqueur)*

La vilaine femme est partie ?

JEAN–MARC *(déconfit)*

Oui.

LAURENCE *(d'un ton langoureux)*

Tant mieux. Viens m'embrasser tout de suite.

> *Ils s'embrassent, puis Jean-Marc se dégage et va s'asseoir. Il a l'air totalement abattu. Laurence vient s'asseoir à côté de lui.*

LAURENCE *(suite)*

Ça va pas ?

> *Jean-Marc pousse un long soupir.*

LAURENCE *(suite)*

T'as pas toujours dit que tu voulais changer de vie ?

JEAN–MARC *(en enlevant ses lunettes)*

Ouais…

LAURENCE

Ben, alors, c'est ta chance, non ?

> *On sonne à la porte. Laurence va répondre. C'est Karine, qui apporte des bouteilles de champagne.*

KARINE *(souriant à Laurence d'un air complice)*

Salut!

LAURENCE

Salut!

> *Elles s'embrassent longuement sur la bouche.*

KARINE

Comment va notre homme?

LAURENCE *(moqueuse)*

Il s'ennuie déjà de sa femme!

> *Karine va vers Jean-Marc et lui donne un baiser sur le front.*

KARINE

Qu'est-ce qui se passe? On est mélancolique?

> *Elle s'assoit à côté de lui et se met à le minoucher.*

JEAN-MARC *(il remet ses lunettes)*

Oui, je… Je suis désemparé. Je suis un peu perdu. C'est normal, je pense.

> *On frappe à la porte arrière. Laurence va ouvrir. C'est Carole Bigras-Bourque, vêtue d'un tailleur en cuir très moulant, dont le*

décolleté laisse voir la quasi-totalité de ses seins. Elle porte des paquets venant d'une boutique chic, à en juger par l'emballage. Elle porte un collier de servitude serti de perles, auquel est attachée une laisse que tient fermement William Chérubin. Pendant toute cette scène, Carole gardera pudiquement les yeux baissés.

WILLIAM *(à Laurence)*

La voici.

Il remet la laisse à Laurence ainsi qu'un étui allongé qui ressemble à un sac à main de soirée.

LAURENCE

Merci.

WILLIAM

À demain.

LAURENCE

À demain.

Laurence emmène Carole auprès de Jean-Marc, à qui elle remet la laisse.

JEAN–MARC

Bonjour, madame Bigras-Bourque.

CAROLE

Appelez-moi Carole.

> *Elle garde toujours les yeux baissés. Laurence ouvre l'étui et en sort un petit fouet qui a presque l'air d'un objet décoratif. Elle tend le fouet à Jean-Marc, qui ne sait pas quoi en faire.*

LAURENCE

Amuse-toi.

JEAN-MARC *(perplexe)*

Qu'est-ce qu'il faut que je fasse ?

KARINE *(impatiente)*

T'en fais ce que tu veux, elle est à toi !

JEAN-MARC

Oui, mais quoi ?

> *Exaspéré, Laurence arrache la laisse à Jean-Marc.*

LAURENCE

Il m'énerve ! *(Elle tire Carole vers elle.)* Carole, prépare les hors-d'œuvre !

CAROLE *(tête baissée)*

Les hors-d'œuvre?

> *Laurence tire brusquement Carole jusqu'au comptoir et lui donne un coup de fouet sur les fesses.*

LAURENCE

Pose pas de question! Obéis!

CAROLE

Aïe! Merci! Je le méritais.

> *Laurence lui donne un deuxième coup de fouet et Carole crie de douleur. Jean-Marc fait la grimace et Karine a l'air de bien s'amuser. On sonne à la porte. Karine va répondre. C'est Veronica, poursuivie par une meute de journalistes.*

KARINE *(à Veronica)*

Bonjour!

> *Veronica se retourne et lui sourit.*

VERONICA

Bonjour!

> *Elles s'embrassent. Veronica salue la foule.*

VERONICA

Merci, au revoir !

Une voisine se précipite dans la porte pour lui demander un auto-graphe.

VOISINE

S'il vous plaît, madame !

Veronica signe un autographe.

VERONICA *(à Karine)*

C'est insensé de venir ici ! Mon chauffeur s'est perdu trois fois.

Elle rend son carnet à la voisine.

VOISINE

Oh, merci beaucoup, vous êtes gentille ! Je voulais vous deman-der… Brad Pitt, il est comment ?

VERONICA *(en soupirant)*

Très gentil.

Veronica entre dans la maison, et la voisine reste sur le seuil, rete-nue par Karine.

VOISINE

Parce que moi, personnellement, je m'en cache pas, d'ailleurs je le dis devant mon mari, Brad Pitt, je le vois dans ma soupe. C'est pas mêlant! La première fois que je l'ai vu, là…

> *Karine referme la porte. La voisine continue de parler derrière la vitre.*

VOISINE *(suite)*

Hey, c'était comme une révélation! C'était dans la chambre, là, où y avait les deux actrices, mais lui y est entré, et je me suis dit : ça, là, c'est l'acteur de sa génération!

> *Veronica se retrouve dans la cuisine avec les autres. Elle pousse un long soupir.*

VERONICA *(à Jean-Marc)*

Alors, de quoi tu te plains, là, maintenant?

JEAN-MARC

J'ai vécu quinze ans avec cette femme-là, forcément…

VERONICA *(exaspérée)*

Ça fait quinze ans que tu nous dis à nous trois que tu veux la quitter! C'est pas vrai?

> *Elle prend Laurence et Karine à témoin.*

LAURENCE

Ah oui !

KARINE

Toujours la même rengaine !

JEAN-MARC

Mais là, c'est elle qui m'a quitté…

VERONICA

Et alors, c'est quoi la différence ?

JEAN-MARC

C'est tout de même une grande partie de ma vie qui vient de disparaître…

VERONICA

Mais tu nous disais que tu pouvais pas la supporter, ta vie !

LAURENCE *(l'air coquine)*

À moins qu'il nous ait menti !

KARINE *(renchérissant)*

À moins qu'il ait eu besoin de sa femme pour se plaindre.

LAURENCE

À moins qu'il soit vraiment un type sans intérêt.

Veronica soupire de nouveau.

VERONICA

Je suis dégoûtée! Je suis toujours le fantasme des types minables! Non mais c'est vrai, je vous jure! Je pouvais pas être le fantasme de Tiger Woods ou de Roger Federer? *(Elle fait quelques pas dans la pièce.)* Eh ben non! Je me retrouve dans une cuisine au fond du Canada, avec un fonctionnaire provincial qui pleurniche parce que sa femme l'a largué. Je vous jure! C'est pénible!

Toujours assis sur sa chaise, Jean-Marc affiche une mine pathétique. Veronica se rapproche de Carole qui prépare des plats de hors-d'œuvre.

VERONICA *(suite)*

T'as pas encore débouché le champagne, toi?

CAROLE *(les yeux toujours baissés)*

Je suis désolée, j'ai pas eu le temps.

Veronica lui donne une bonne tape sur les fesses.

VERONICA

T'es nulle!

CAROLE

Aouch ! Oui, je le sais. Je m'excuse.

> *Veronica lui fait la bise et sourit. Carole commence à déboucher une bouteille de champagne.*

Intérieur nuit — Salle de bains

> *Jean-Marc a mis son pyjama. Dans la salle de bains, il se gargarise avec un rince-bouche ultra-puissant. Il semble terrorisé. De l'autre côté de la porte, les trois femmes l'incitent à sortir.*

VERONICA *(v. o.)* *(en cognant sur la porte)*

What the hell are you doing ?

KARINE *(v. o.)*

Jean-Marc, ça fait une demi-heure qu'on t'attend !

LAURENCE *(v. o.)*

Jean-Marc, sors de là !

Intérieur nuit — Chambre

> *Jean-Marc finit par sortir de la salle de bains et voit sa chambre complètement transformée grâce à des rideaux, des miroirs, des bougies. Étendues sur le lit, les quatre femmes attendent leur homme, enfoncées dans un océan de coussins orientaux. Elles portent des*

déshabillés élégants et sexy. Jean-Marc s'approche du lit en trem-blant. Veronica le tire par le poignet et le force à s'allonger sur elle.

VERONICA

Viens ici, mon garçon. Viens baiser ta star bien-aimée !

JEAN-MARC *(d'un ton piteux)*

Non… C'est pas que je veux pas, mais…

> *Karine attire Jean-Marc tout contre elle et lui caresse les cheveux.*

KARINE *(moqueuse)*

Les stars sont trop intimidantes. La perfection, souvent, paralyse. On peut préférer se mettre en train avec une beauté plus fami-lière.

> *Jean-Marc rit de nervosité et tente de s'échapper.*

JEAN-MARC

Oui, c'est sûr, mais c'est qu'en ce moment je…

> *La main de Laurence vient à son tour agripper Jean-Marc.*

LAURENCE *(d'une voix langoureuse)*

N'oublie pas que je suis lesbienne et donc forcément mal bai-sée. Quel homme digne de ce nom ne voudrait pas me remettre dans le droit chemin ?

JEAN–MARC

Non, mais ça, c'est au-dessus de mes forces, je…

Laurence se met à l'embrasser, puis Carole à son tour attire Jean-Marc vers elle.

CAROLE

Moi, je suis la supérieure immédiate. Pensez à la volupté de me rendre obéissante. Oh, allez-y, mon maître… Faites-moi sentir toute la rigueur de votre tempérament !

Carole pousse un cri de chatte en chaleur. Jean-Marc enfonce sa tête parmi les coussins, tandis que les quatre femmes l'entourent et le caressent.

JEAN–MARC

Non, non, non, non ! Je suis nul ! J'suis nul, j'suis pas capable !

La chambre revient à la normale. Sur la table de chevet, on voit une photo de Sylvie tenant un trophée de la chambre immobilière. Jean-Marc dort, recroquevillé sur son lit, et l'on entend les rires des quatre femmes qui se mêlent aux cris d'impuissance qu'il pousse dans son sommeil.

Extérieur jour — Voiture de Jean-Marc

Jean-Marc roule vers l'école avec ses deux filles. Comme d'habitude, elles portent des écouteurs et n'entendent rien.

JEAN-MARC

Écoutez, les filles, il va falloir se parler…

Elles ne répondent pas. Jean-Marc hausse le ton.

JEAN-MARC *(suite)*

Il va falloir se parler !

Comme elles ne réagissent toujours pas, Jean-Marc arrête brusque-
ment la voiture en faisant crisser les pneus. Les filles sont secouées.
Jean-Marc arrache les écouteurs de Mégane, assise à l'avant. Cora-
lie enlève les siens.

JEAN-MARC *(suite)*

J'ai dit qu'on allait se parler ! C'est clair ?

CORALIE

Les nerfs !

Mégane se tient une oreille.

MÉGANE

Tu m'as fait mal ! T'es malade ! ?

JEAN-MARC

Je m'excuse, mais il faut qu'on parle.

Il se remet à rouler.

Avec l'équipe technique.

En compagnie de Macha Grenon (Béatrice de Savoie).

Jacques Lavallée (Monseigneur l'évêque Romaric).

Hugo Giroux (Thorvald le Viking).

La place des tournois.

*Macha Grenon
(Béatrice de Savoie).*

Camille Léonard-Rioux et Kimberley St-Pierre-King (Mégane et Coralie Cormier-Leblanc).

Sylvie Léonard (Sylvie Cormier-Leblanc) et Marc Labrèche (Jean-Marc Leblanc).

Christian Bégin (le motivateur hilare).

Pauline Martin (Mme Sigouin-Wong).

Caroline Néron (Carole Bigras-Bourque).

Marc Labrèche (Jean-Marc Leblanc) et Sylvie Léonard (Sylvie Cormier-Leblanc).

MÉGANE

Parler de quoi?

JEAN-MARC

Votre mère, Sylvie, est partie à Toronto…

CORALIE

On le sait.

JEAN-MARC

Elle sera plus à la maison.

MÉGANE

Puis?

JEAN-MARC

La vie va être différente.

MÉGANE

C'est pas grave.

CORALIE

C'est cool.

JEAN-MARC

C'est peut-être une séparation temporaire.

MÉGANE

Toutes mes amies, les parents sont séparés.

CORALIE

Moi, dans ma classe j'étais la dernière.

MÉGANE

As-tu quelqu'un dans ta vie ?

JEAN-MARC

Non, pas du tout !

MÉGANE

Essaie d'en trouver une qui soit pas trop chiante, O.K. ?

CORALIE

Ouais.

Extérieur jour — Stade olympique

> *Jean-Marc entre dans la rotonde en courant au moment où le Gardien principal explique à une dame sourde qu'elle ne peut pas entrer.*

GARDIEN

Ah, non, madame, je suis désolée, les bureaux sont fermés pour le moment. Ils font une recalibration feng shui.

UNE DAME SOURDE

Ils font du chichi ! ?

GARDIEN

Non, madame, du feng shui ! C'est chinois. Il y a une dame qui fait des évaluations. Mme Sigouin-Wong… Elle fait ça dans tous les bureaux du gouvernement. Il faut que vous attendiez.

Intérieur jour — Stade olympique — Bureaux de l'OPDC

> *À l'entrée des bureaux, tous les employés de l'OPDC regardent Mme Sigouin-Wong frapper d'un petit marteau des tubes métalliques qui émettent diverses sonorités.*

SIGOUIN-WONG

Ah, le sentez-vous ? Sentez-vous la vibration, là ? Mmmm….

> *Elle reproduit le son du mobile avec sa voix.*

GILLES SANSREGRET *(à Carole, d'un air niais)*

Mmmm… On la sent bien, hein ?

CAROLE *(pas du tout convaincue)*

Ah, oui !

SIGOUIN-WONG *(d'un air mystérieux)*

C'est la vibration qui permet de se reconnecter avec son yang ! *(Jean-Marc arrive en courant et se joint à ses collègues. Madame Sigouin-Wong continue sans se préoccuper de lui.)* Le yin aussi, mais moins… Moins, le yin. Beaucoup moins.

> Carole lance un regard sombre à Jean-Marc. Mme Sigouin-Wong se déplace un peu, suivie de tous.

SIGOUIN-WONG *(suite)*

Et ici, là, ça prend un aquarium… Un grand aquarium ! D'ici… *(elle prend ses mesures),* jusque-là !

GILLES SANSREGRET

C'est nécessaire ?

SIGOUIN-WONG

Ah, ben, oui ! C'est essentiel ! Tout est orienté vers le nord. *(Elle regarde vers le toit du stade.)* C'est un désastre !

GILLES SANSREGRET

Oui, mais le stade est construit comme ça !

SIGOUIN-WONG *(avec gestes à l'appui)*

Oui, mais c'est parce que toutes les énergies vibratoires néga-
tives viennent du nord! *(Tous regardent dans la même direction.)*
Alors le seul rempart efficace, c'est l'eau. Vous comprenez?

GILLES SANSREGRET

Oui, oui, mais c'est quand même très cher, un aquarium de
cette taille-là!

SIGOUIN-WONG

Le fonds d'aménagement est prévu pour ça. Il y a soixante-
seize millions!

GILLES SANSREGRET *(rassuré)*

Ah, bon! Si c'est prévu…

SIGOUIN-WONG *(se déplaçant vers un autre endroit)*

Et ici, ça va prendre de grands bols remplis de cristaux… Pour
empêcher l'énergie rayonnante de se dissiper par le toit…

> Elle explique avec de grands gestes. Tout le monde lève la tête vers
> le toit. On entend une musique céleste.

Extérieur jour — Stade olympique

> Gros plan du toit du Stade et de l'ascenseur qui monte sur le côté.

Assis sur un muret de béton, Jean-Marc, Laurence et William
fument en cachette.

WILLIAM

Il va falloir te trouver une femme, mon vieux ! Tu peux pas rester comme ça. C'est malsain. Tu vas attraper un cancer.

LAURENCE

T'as une fixation sur le cancer !

WILLIAM

Ma chère, l'appareil de reproduction masculin est programmé pour éjaculer tous les trois jours, de la puberté jusqu'à l'âge de quatre-vingt-cinq ans. C'est une loi de la nature. Si tu ne respectes pas cette loi-là, c'est le cancer de la prostate. Un homme sur deux au Canada.

LAURENCE

J'ai jamais entendu parler de ça.

WILLIAM

Vingt ans de mariage monogame sont à la prostate ce que deux paquets de cigarettes par jour sont aux poumons.

LAURENCE

Il y a des preuves scientifiques de ça ?

WILLIAM

Statistiquement, le Japon est le pays où les hommes sont les plus actifs sexuellement. C'est aussi là ou le taux de cancer de la prostate est le plus bas. Nos brillants médecins nous assurent que c'est parce qu'ils mangent des sushis.

> *Pendant tout ce temps, Jean-Marc est resté silencieux, l'air préoccupé.*

Intérieur jour — Stade olympique — Bureau de Jean-Marc

> *Aziza, une Tunisienne, est assise devant Jean-Marc.*

AZIZA

Il devait être à peu près cinq heures du matin. Ils sont entrés en courant. Mon mari a essayé de se lever, ils lui ont passé les menottes. Il a même pas eu le temps de s'habiller qu'ils l'ont emmené.

JEAN-MARC

C'était quel genre de policiers?

AZIZA

Ils étaient en civil. Je suis allée au poste de police, dans mon quartier. Je suis allée à la Gendarmerie, à la Sûreté du Québec... Je suis allée au ministère de la Justice, personne sait rien. Personne veut parler!

JEAN-MARC

Depuis les attentats du 11 septembre, le Conseil canadien de sécurité a le droit de détenir indéfiniment toute personne soupçonnée de terrorisme.

AZIZA

Mon mari n'est pas un terroriste !

JEAN-MARC

C'est un Arabe.

AZIZA

C'est un cuisinier !

JEAN-MARC *(l'air épuisé)*

Si c'était un cuisinier allemand, il aurait aucun problème.

AZIZA

On sait même pas de quoi il est accusé !

JEAN-MARC

Vous le saurez jamais.

AZIZA

Mais ils peuvent pas avoir la moindre preuve !

JEAN-MARC

Ils en ont pas besoin. Il suffit qu'un juge donne son accord.

AZIZA

Mais il n'y a pas un juge qui peut avoir autorisé ça !

JEAN-MARC

Au Canada, les juges sont nommés par le parti au pouvoir, alors…

AZIZA

C'est absurde…

JEAN-MARC

Si ça peut vous consoler, la loi australienne est encore pire.

AZIZA *(bouleversée)*

Mais qu'est-ce qui va lui arriver maintenant ?

JEAN-MARC

À Toronto, ils en ont gardé un en cellule d'isolement pendant quatre ans.

AZIZA

Quatre ans ? !

JEAN-MARC

Ils peuvent aussi le mettre dans un avion de la CIA pour le faire torturer en Pologne ou en Roumanie.

AZIZA

Il faut empêcher ça ! Il faut se battre !

JEAN-MARC

Vous connaissez évidemment pas d'actrice ou de chanteur populaire ?

AZIZA

Je suis immigrante.

JEAN-MARC

Il y a eu des célébrités qui ont réussi à en faire libérer quelques-uns. Les services secrets aiment pas la publicité. Vous pourriez peut-être essayer ça…

Intérieur nuit — Train de banlieue

> *À la fin de sa journée de travail, Jean-Marc est assis dans le train de banlieue, le regard vide.*

Intérieur nuit — Hôtel de banlieue — Hall

Dans le grand hall de l'hôtel, une foule se presse vers des tables où les participants doivent s'inscrire pour le speed-dating. William et Jean-Marc font la file.

JEAN-MARC

Tu t'arranges comment avec ta femme ?

WILLIAM

Pas si fort ! *(Il parle discrètement à l'oreille de Jean-Marc.)* Ma femme est à la maison. Les enfants ont des devoirs à faire. Il faut donner les bains, laver les cheveux. Ma femme est très occupée, et parfaitement heureuse.

JEAN-MARC

Tu lui dis quoi ?

WILLIAM

Que je sors me détendre avec des copains. Tu es un copain et je vais me détendre.

Il indique du menton Christine, une très jolie fille qui attend elle aussi pour s'inscrire.

JEAN-MARC

Il y a beaucoup de belles filles, c'est surprenant. Je m'attendais…

WILLIAM

Deux millions de célibataires sur six millions de Québécois. Il y a une femme sur trois qui vit seule. C'est la panique, mon vieux.

À une des tables d'inscription, une jeune préposée scrute dubitativement M. Gallucio, un vieil Italien.

PRÉPOSÉE I

Et vous avez quel âge, monsieur Gallucio ?

GALLUCIO *(en marmonnant)*

Quarante.

PRÉPOSÉE I

Vous êtes bien sûr que vous avez seulement quarante ans ? Pas un peu plus ? Sûr ?

GALLUCIO

Non, non.

PRÉPOSÉE I

Je vous mets cinquante, d'accord ?

GALLUCIO

Non, pourquoi ?

PRÉPOSÉE I

Vous voulez me montrer votre permis de conduire ?

GALLUCIO

Non, ça va. Ça va.

> *Jean-Marc se retrouve devant la table où une autre préposée s'apprête à faire son inscription. William est toujours derrière lui.*

PRÉPOSÉE II

C'est vingt-cinq dollars pour la première session. Si tu fais pas de rencontre intéressante, tu peux revenir t'inscrire pour les sessions de fin de soirée. C'est vingt-cinq dollars à chaque fois, d'accord ?

JEAN-MARC

D'accord.

PRÉPOSÉE II

Bonne chance !

JEAN-MARC

Merci.

Intérieur nuit — Hôtel de banlieue —
Salle des rencontres

Des hommes attendent, rangés le long d'un mur dans une salle anonyme. Parmi eux, William, Jean-Marc et M. Gallucio. On entend la voix de Lucie, l'animatrice du groupe de speed-dating.

LUCIE *(v. o.)*

Souvenez-vous d'une chose : vous avez exactement cinq minutes pour décider si vous voulez revoir la personne assise en face de vous. Si vous dites oui, vous le notez sur votre fiche d'évaluation.

On découvre une grande salle de réunion aménagée pour le speed-dating. Il y a de longues tables recouvertes de nappes blanches, où des femmes sont assises à une certaine distance les unes des autres. Elles sont regroupées par tranches d'âge. À chaque place, il y a un carnet et un stylo. L'animatrice continue de donner ses instructions à tous.

LUCIE

Si la même personne vous accorde un oui sur sa fiche à elle, c'est un match parfait, et on l'annonce tout de suite après dans la salle de bal. Ça va ?

TOUT LE MONDE

Oui…

LUCIE

Et c'est parti !

Elle déclenche une sonnerie. Brouhaha des hommes qui prennent place aux tables. Jean-Marc s'assoit devant Guylaine, une jolie brune au visage fin.

GUYLAINE *(en souriant)*

Bonsoir. Moi, c'est Guylaine.

JEAN-MARC *(en souriant)*

Moi, c'est Jean-Marc.

Ils se serrent la main.

GUYLAINE *(toujours en souriant)*

Moi, Jean-Marc, je veux des enfants.

JEAN-MARC *(perplexe)*

Euh… Moi, Guylaine, j'ai été vasectomisé.

Ils se regardent un moment en silence, ne sachant que faire.

JEAN-MARC *(suite)*

On fait quoi là ? Il faut attendre cinq minutes ?

GUYLAINE *(gênée)*

Oui, c'est ça…

On entend un brouhaha au fond de la salle. C'est M. Gallucio qui proteste.

GALLUCIO

Vous m'avez encore mis avec les vieilles! Je vous ai dit que je voulais des jeunes, *per la miseria!*

LUCIE

Monsieur Gallucio, vous êtes avec des femmes de votre âge!

GALLUCIO

Mais je veux pas de femmes de mon âge! Je veux une jeune maîtresse!

LUCIE

Monsieur Gallucio, s'il vous plaît!

Elle fait un signe discret aux gardiens de sécurité, qui s'emparent de M. Gallucio.

GALLUCIO

Madame, en Italie, dans les cafés, les hommes de mon âge, ils sont avec des belles filles. Ils leur donnent des fourrures, des bijoux!

Les gardiens de sécurité l'encadrent et le forcent à se diriger vers la sortie.

LUCIE

Ici, on est au Canada, et au Canada, les vieux couchent avec les vieilles !

GALLUCIO

Et ils sont obligés de prendre du Viagra ! Et moi, je veux pas le Viagra !

En passant près de la table des jeunes femmes, il repère Christine.

GALLUCIO *(suite)*

Oh, oh ! C'est une comme ça que je veux ! Avec elle, pas de Viagra ! *(À Christine.)* Tu voudrais pas venir à Capri avec moi ? Tu voudrais pas des diamants ? Sérieusement, j'ai les moyens ! J'ai travaillé toute ma vie pour ça ! Attendez, attendez !

Christine sourit, un peu mal à l'aise, tandis qu'on expulse genti-
ment le vieil homme. La sonnerie retentit de nouveau. Jean-Marc
est maintenant assis devant Line, une jolie blonde qui a l'air en
superforme.

LINE *(très souriante)*

Moi, c'est Line.

JEAN-MARC *(très souriant)*

Moi, c'est Jean-Marc, bonjour.

Ils se serrent la main.

LINE

Tu fais pas de muscu, toi ?

JEAN-MARC *(perplexe)*

Je fais pas quoi ?

LINE

De la musculation.

JEAN-MARC

Ah, non.

LINE

Moi, je fais quarante-cinq minutes de Stair-Master par jour.

JEAN-MARC

Ah bon.

LINE *(d'un air entendu)*

Parce que j'aime les hommes massifs.

JEAN-MARC

Ah, ben là !

La sonnerie retentit de nouveau. Jean-Marc est maintenant assis
devant Louise, une élégante brune aux cheveux longs.

LOUISE

Tu gagnes combien par année, toi ?

JEAN-MARC *(surpris)*

Soixante-huit mille…

LOUISE

Je veux pas descendre en bas de cent mille. *(Jean-Marc paraît per-*
plexe.) Ben, je pense que je vaux ça !

JEAN-MARC *(éberlué)*

Oui, j'en suis sûr !

On entend la sonnerie. Jean-Marc parle maintenant avec Paule.

PAULE

T'as quoi, toi, comme voiture ?

JEAN-MARC

Une Hyundai.

Paule semble déçue.

PAULE

C'est coréen, ça ?

JEAN-MARC

Oui.

PAULE

Une voiture économique…

JEAN-MARC

Oui, très économique.

PAULE *(l'air déprimée)*

Ah ben, formidable…

> *On entend la sonnerie. Jean-Marc vient s'asseoir devant Béatrice, qu'on voit d'abord de dos.*

JEAN-MARC *(passant à l'attaque)*

J'aime autant vous prévenir tout de suite : ma femme m'a quitté, je suis fonctionnaire provincial, je conduis une Hyundai, et ma vie est un désastre.

> *On voit Béatrice de face. C'est une jolie brune au visage expressif. Les paroles de Jean-Marc la font sourire.*

BÉATRICE

Êtes-vous un homme de cœur ?

JEAN-MARC

De cœur ?

BÉATRICE

Je travaille ici, dans un bureau à Laval, mais je suis aussi la comtesse Béatrice de Savoie. *(Jean-Marc la regarde, ébahi.)* Mon mari, le comte Emmanuel, est mort à la première Croisade.

JEAN-MARC

Vraiment ?

BÉATRICE *(émue)*

Il a été transpercé par les flèches des Sarrasins sous les remparts d'Antioche.

JEAN-MARC *(perplexe)*

Ah.

BÉATRICE *(souriant d'un air complice)*

Je ne peux pas régner seule. Il me faut un homme d'exception.

Elle pousse un grand soupir, mettant ainsi sa poitrine en valeur.

Intérieur nuit — Hôtel de banlieue — Salle de bal

Il y a foule dans la salle de bal. On entend une musique disco assourdissante. Des gens dansent. On aperçoit Béatrice assise à une table, l'air un peu perdue. Jean-Marc et William se tiennent debout.

WILLIAM *(à Jean-Marc)*

Line ! Je veux Line ! Je veux l'embrocher !

Le volume de la musique baisse et Lucie s'avance au micro.

LUCIE

Alors, dans le dernier groupe, nous avons neuf matches parfaits ! *(La foule applaudit avec chaleur.)* Nous avons Cathy et Sacha, Line et William, Béatrice et Jean-Marc…

Intérieur nuit — Hôtel de banlieue — Hall

Jean-Marc, Béatrice, William et Line sortent de la salle de bal.

JEAN-MARC

Bon, et ben, qu'est-ce qu'on fait maintenant ?

WILLIAM

Nous, je crois qu'on va monter. J'ai loué une chambre ici, à l'hôtel, en haut.

Silence embarrassé.

JEAN-MARC

Ah oui ! Ah, ben c'est bien !

BÉATRICE *(sérieuse)*

Vous trouvez pas ça un peu précipité ?

LINE

C'est quoi ton problème, toi, chose ?

BÉATRICE *(exaltée)*

Moi, je pense que le corps est un temple. Je pense que les âmes doivent se connaître avant.

LINE *(qui n'en revient pas)*

Ayoye !

WILLIAM *(sérieux)*

Vous croyez aux âmes ?

BÉATRICE

C'est ce qui nous différencie des animaux.

WILLIAM *(en la prenant par la main)*

Venez par ici.

Il l'entraîne vers une grande fenêtre, suivi de Jean-Marc et de Line.

WILLIAM *(suite) (regardant par la fenêtre)*

Dites-moi ce que vous voyez là-bas ?

BÉATRICE

Le cimetière de Sainte-Dorothée ?

WILLIAM

Exactement. Des milliers de squelettes glacés. *(Il se retourne vers elle.)* Si pour une seule nuit on pouvait redonner la vie à une de ces âmes, elle choisirait de faire quoi, d'après vous, pendant cette nuit-là ? *(Béatrice le regarde, l'air perplexe.)* Aller au bureau ? Passer à la banque ? Regarder la télé ? Relire Emmanuel Kant ? *(Il se dirige vers Line.)* Elle essaierait désespérément de faire l'amour jusqu'à l'aube. *(Line et William font face à Jean-Marc et à Béatrice.)* C'est de ça dont on s'ennuie quand on est mort, mademoiselle ! Nous, on est encore vivants… Bonne soirée ! À lundi, mon vieux…

JEAN-MARC

À lundi, William.

> *Line et William s'éloignent en se tenant par la taille.*

JEAN-MARC *(suite) (à Béatrice)*

Bon, eh bien, on pourrait peut-être… Je sais pas… Aller prendre un bon café ?

BÉATRICE

Je bois pas de café le soir. Ça me rend trop nerveuse. J'aimerais mieux une infusion.

JEAN-MARC

Bonne idée.

Il lui prend le bras et ils s'éloignent.

Extérieur jour — Autoroute de banlieue

Des voitures avancent très lentement sur une autoroute congestionnée. Des pizzicati de violons se mêlent au bruit des moteurs.

Intérieur jour — Hospice — Chambre de la mère de Jean-Marc

La mère de Jean-Marc dort sur une chaise. Jean-Marc est assis à côté, il lit Le Livre de l'intranquillité, *de Fernando Pessoa.*

Intérieur jour — Train de banlieue

Jean-Marc est écrasé dans le train de banlieue à côté d'une dame qui parle très fort dans son portable.

DAME

… Mais moi, ce que je savais pas du tout, c'est qu'il y a deux types d'hémorroïdes : les hémorroïdes externes et les hémorroïdes internes ! C'est pour ça que je me doutais de rien… Mais à partir de maintenant, je vais faire partie d'un groupe de contrôle de l'anus… Alors, là, tout va bien, oui…

Intérieur jour — Stade olympique — Bureau de Jean-Marc

> *Jean-Marc reçoit Nancy Toupin, une jeune fille de race noire qui a l'air mal en point. Ses béquilles sont posées sur les accoudoirs de son fauteuil.*

NANCY

Je me suis inscrite à Québec-Solidarité-Tiers-Monde. Ils m'ont envoyée au Congo. Connaissez-vous le Congo ?

JEAN-MARC

Non, j'ai jamais voyagé. Sauf à Cuba, pour les vacances d'hiver.

NANCY

Le Congo, c'est un pays très dur. Quatre-vingt-cinq pour cent de la population est analphabète. L'espérance de vie dépasse à peine quarante ans. J'étais complètement perdue là-bas. Un soir, après une réunion, des soldats m'ont suivie. Ils m'ont violée. Toute la nuit. J'étais sûre qu'ils m'avaient donné le SIDA, mais finalement, c'était un mégalovirus. J'ai été très malade. J'ai attrapé aussi une hépatite et la fièvre typhoïde. J'ai été rapatriée. Avant, j'étais une militante super-dynamique, maintenant, j'arrive pas à dormir plus d'une heure ou deux par nuit, il faut qu'il y ait toujours des amis qui dorment chez moi.

JEAN-MARC

Vous avez pas de famille ?

NANCY

Mes parents adoptifs ont divorcé. Je suis toute seule. J'ai pas un sou. J'ai plus rien.

JEAN-MARC

Québec machin, là, Québec-Tiers-Monde, ils peuvent pas vous aider ?

NANCY

Ça existe plus. Le bureau a été fermé. L'ancien directeur a été nommé sous-ministre à l'Éducation. On peut pas le rejoindre.

JEAN-MARC

Évidemment.

Extérieur jour — Rue de Montréal

Jean-Marc gare sa voiture dans une rue achalandée de Montréal. Il se dirige vers un édifice en pierre grise, dont on comprend qu'il s'agit d'une ancienne église convertie en immeuble de copropriété.

Intérieur jour — Église

> Jean-Marc frappe à la porte d'un appartement. Béatrice ouvre. Elle est vêtue en comtesse de Savoie. On entend un air de harpe.

JEAN-MARC

Bonjour !

BÉATRICE

Bonjour ! *(Jean-Marc l'examine des pieds à la tête. Elle lui sourit et fait une petite révérence.)* Entre !

Intérieur jour — Appartement de Béatrice

> Jean-Marc suit Béatrice dans l'appartement, qui est entièrement décoré comme une chambre médiévale. Le mur du fond est d'ailleurs illuminé par un vitrail de l'ancienne église.

BÉATRICE

Ton costume est arrivé, tu vas pouvoir le mettre.

JEAN-MARC

Tout de suite ?

BÉATRICE

Ah, oui, c'est mieux ! Va derrière le paravent.

Jean-Marc passe derrière un paravent en bois, où il commence à se changer. La musique de harpe joue toujours.

JEAN-MARC *(en se changeant)*

C'est particulier chez toi, c'est très original !

BÉATRICE

Je me suis inspirée du *Seigneur des Anneaux*. J'ai vu le film soixante fois.

JEAN-MARC *(il se débat avec sa cagoule)*

C'est beaucoup !

BÉATRICE *(solennelle)*

Pour moi, c'est la plus grande œuvre d'art des temps modernes !

Extérieur jour — Rue de Montréal

Jean-Marc et Béatrice traversent la rue d'un pas pressé. Elle porte sa robe de princesse et lui est vêtu en page du Moyen Âge. Des automobilistes klaxonnent et les sifflent, certains les apostrophent en riant. Ils montent dans la voiture de Jean-Marc.

Extérieur jour — Route de campagne

BÉATRICE *(anxieuse)*

Le Concile a décrété que je ne pourrai pas décider seule de la succession de mon mari.

JEAN-MARC *(perplexe)*

Ah non ?

BÉATRICE

Il va y avoir un grand tournoi demain. Les chevaliers les plus valeureux vont se battre pour obtenir ma main. C'est très dangereux.

JEAN-MARC *(inquiet)*

Un tournoi ?

BÉATRICE *(solennelle)*

Le Prince Noir a annoncé sa venue. C'est un adversaire terrifiant. C'est aussi un homme fourbe et cruel.

JEAN-MARC *(de plus en plus inquiet)*

Ah bon !

> *Béatrice pousse un grand soupir, qui met en valeur sa poitrine comprimée par le corsage en velours.*

Extérieur jour — Château de Saint-Adolphe

> *Une auto-patrouille de la Sûreté du Québec entre dans la cour du château de Saint-Adolphe, où des chevaliers s'exercent à l'épée. Elle se gare à côté de la voiture de Jean-Marc, qui vient tout juste d'arriver. Jean-Marc et Béatrice sortent de la voiture. Jean-Marc sort un gros sac de toile du coffre, puis il se dirige avec Béatrice vers le château. Une musique de pipeau se mêle à la rumeur des chevaliers qui se battent. Le policier de la SQ sort de sa voiture. À l'autre bout du stationnement, un homme déguisé en Viking parle dans son portable.*

THORVALD *(dans son portable)*

Je m'excuse, Guylaine, mais la première fois qu'on s'est vus, j'ai été très clair, je t'ai dit que je voulais garder quinze weekends par année pour moi, pour venir ici. Vrai ou faux ?

> *Le policier de la SQ ouvre le coffre de sa voiture, se débarrasse de sa veste et de sa ceinture armée. Béatrice et Jean-Marc s'approchent de la grande porte du château où les attendent l'évêque Romaric et trois dames de compagnie. La porte est gardée par deux hallebardiers.*

ROMARIC *(à Béatrice)*

Vous voilà enfin, madame !

> *Béatrice fait la révérence et baise la bague de l'évêque.*

BÉATRICE

Monseigneur.

ROMARIC

Venez, madame.

BÉATRICE *(à Jean-Marc)*

À demain, mon page !

L'évêque entraîne Béatrice à l'intérieur du château.

JEAN-MARC

Comment ça, à demain ? *(Jean-Marc veut les suivre, mais un halle-bardier l'en empêche, et les lourdes portes se referment.)* Je fais quoi, moi, là ?

HALLEBARDIER I

Le commun passe par la poterne !

Jean-Marc regarde au loin, l'air désemparé.

Dans le stationnement, le policier n'est plus vêtu que d'un slip noir. Thorvald parle toujours dans son portable.

THORVALD

Comprends-moi bien, là ! La direction de l'hôpital, mon travail, et mon syndicat m'écœurent. La télévision, la radio, et les jour-naux m'écœurent. Même la ville de Montréal m'écœure. Mais non, pas toi ! Ce que je veux t'expliquer, c'est que dans ma vie, mon niveau d'écœurement est très élevé. Est-ce que tu peux comprendre ça, Guylaine ?

Le policier enfile une robe de bure, et le voilà devenu saint Bernard de Clairvaux.

THORVALD *(v. o.)*

Il y a un seul endroit où je me sens bien, c'est ici…

Le Prince Noir et ses écuyers se dirigent à cheval vers la poterne.

Jean-Marc se présente à la poterne. Deux hallebardiers lui bloquent l'entrée.

JEAN-MARC

Je suis avec la comtesse Béatrice de Savoie.

HALLEBARDIER II

La comtesse est au château.

JEAN-MARC

Au château, ils m'ont dit de passer par ici…

HALLEBARDIER II

Vous portez pas la livrée de la comtesse.

JEAN-MARC *(exaspéré)*

Ben non, j'ai pas la livrée ! Écoutez, on va faire ça simple : j'ai rencontré la comtesse dans une soirée de speed-dating à Laval et…

Cinq cavaliers surgissent derrière Jean-Marc. C'est le Prince Noir
et sa troupe.

ÉCUYER

Écartez-vous, manant! Le Prince Noir va passer!

Jean-Marc se retourne vers l'écuyer.

JEAN-MARC

Un instant, le Prince Noir! J'ai un problème à régler, moi!

L'écuyer frappe Jean-Marc à la poitrine avec sa lance. Jean-Marc
tombe par terre, le souffle coupé. Le Prince Noir et sa troupe pénè-
trent dans l'enceinte du château. Thorvald s'agenouille près de
Jean-Marc.

THORVALD

Ça va?

JEAN-MARC

Oui, oui, ça va.

THORVALD

Viens.

Il aide Jean-Marc à se relever et l'entraîne vers la poterne. Le hal-
lebardier bloque l'entrée à Jean-Marc.

THORVALD *(suite)*

C'est un ami.

HALLEBARDIER II

Je suis désolé, mais on peut pas admettre…

> *Thorvald saisit le hallebardier par sa cotte de maille et le soulève de terre.*

THORVALD

Comment ?

HALLEBARDIER II

Non, non, rien… Pas de problème !

> *Jean-Marc et Thorvald pénètrent dans l'enceinte du château. Nous sommes au Moyen Âge : il y a des ménestrels et des jongleurs, des commerçants dans leurs échoppes. Thorvald arrache aux mains d'un quidam une gourde en forme de corne. Il boit une lampée d'eau-de-vie.*

JEAN-MARC

Tu fais quoi dans la vie, toi ?

THORVALD

Pharmacien dans un hôpital. C'est nul. Bois.

> *Il tend la corne à Jean-Marc, qui prend une gorgée et s'étouffe.*

Extérieur jour — Cour du château ·

Jean-Marc et Thorvald débouchent sur le sommet de la tour du château où saint Bernard, entouré de quatre templiers, prêche à un groupe de chevaliers. Il brandit sa croix de pèlerin, et son discours fanatique est ponctué par les cris d'encouragement des chevaliers. Jean-Marc et Thorvald s'approchent.

SAINT BERNARD

Jamais l'Occident n'a été aussi menacé ! L'Arabe perfide a eu l'audace de s'infiltrer jusque dans nos murs pour attaquer lâchement même nos femmes et nos enfants ! *(Cris des chevaliers.)* Leurs sectes d'assassins rôdent dans nos cités. Allons-nous tolérer encore longtemps l'impudence grossière du musulman maudit ! ? *(Cris des chevaliers.)* Debout, messeigneurs !

À côté de Thorvald, Jean-Marc écoute ce discours d'un air perplexe.

SAINT BERNARD *(suite)*

Souvenons-nous de nos ancêtres Godefroy de Bouillon, Robert de Flandres, Étienne de Blois qui, entre Constantinople et Jérusalem, égorgèrent un million d'infidèles ! *(L'évêque devient de plus en plus enflammé. Les chevaliers l'appuient de plus en plus fort en brandissant leurs armes.)* Ils furent l'honneur de l'Occident ! Serons-nous dignes de leur héritage, mes frères ? Quand, à Jérusalem, Raymond de Toulouse sortit vainqueur de la Grande Mosquée, on dit que son cheval marchait dans le sang jusqu'à ses genoux ! Il est temps de rappeler à ces misérables Levantins que la chrétienté sait encore se défendre ! À vos destriers, messeigneurs ! Que flottent les étendards ! Par saint Laurent et par saint George, à Jérusalem !

Les chevaliers, transportés, hurlent et brandissent leurs épées.

CHEVALIERS

À Jérusalem ! À Jérusalem !

Jean-Marc demeure perplexe, tandis que Thorvald, criant avec les autres, brandit sa hache vers le ciel.

THORVALD

À Jérusalem !

Extérieur nuit — L'étang Sainte-Hélène

La nuit, dans la forêt, c'est la fête. Des torches ont été allumées, un feu brûle au bord de l'étang. Il y a des musiciens, des jongleurs, des cracheurs de feu. Trois troubadours chantent une ballade pour Béatrice, qui est assise sur un rocher avec ses dames de compagnie. Elle porte une couronne de fleurs sauvages. Jean-Marc et Thorvald vont s'asseoir au milieu des spectateurs. Parmi eux, on aperçoit les trois chevaliers qui vont s'affronter le lendemain. Le Prince Noir et son écuyer sont à l'écart dans l'ombre. Le visage du prince est caché par un ample capuchon noir. Non loin d'eux, on distingue trois jeunes femmes belles et blondes, entièrement maquillées de noir : ce sont les Furies. Des danseurs terminent une ronde accompagnée de flûtes et de vielles. Un des chevaliers se lève et fait quelques pas vers Béatrice. Thorvald se penche vers Jean-Marc.

THORVALD

C'est Keiser von Eichstad, le margrave de Brandebourg.

VON EICHSTAD

Je mourrai trop de désir
Si je la trouve inexorable
Je mourrai trop de plaisir
Si je la trouve favorable

Béatrice soupire d'émotion.

Ainsi je ne saurai guérir
De la douleur qui me possède.
Je suis assuré de périr
Par le mal ou par le remède.

Béatrice sourit, visiblement ravie, et le chevalier s'éloigne. On entend quelques applaudissements et bravos discrets.

THORVALD *(à Jean-Marc)*

Quelle chute ! C'est beau, hein ?

JEAN-MARC *(acquiesce)*

Oui… Oui… Beau.

Extérieur nuit — Étang Sainte-Hélène

Répondant à l'appel de Thorvald, Jean-Marc s'approche du bain médiéval qui a été aménagé un peu plus loin dans la forêt. Il s'agit en fait d'une petite piscine hors-terre dont les parois ont été recouvertes de bois, et qui est remplie d'eau chaude. Thorvald et deux de ses compères vikings sont plongés dans le bain en compagnie de trois femmes bien en chair, de véritables walkyries. Jean-Marc s'assoit tout au bord, l'air bien maigrelet avec ses vêtements de page. Les Vikings et leurs compagnes sont déjà passablement éméchés. Ils boivent à même des bouteilles de vodka.

THORVALD

Ça, c'est la vie, mes amis ! La vraie vie ! À la vie, hostie !

Il brandit une bouteille de vodka. Les deux autres ont chacun leur bouteille. Les femmes aussi boivent la vodka au goulot.

VIKINGS ET WALKYRIES

À la vie ! À la vie, tabarnak !

THORVALD *(à Jean-Marc)*

Bois, mon ami. Bois à Thor, le roi des cieux !

Jean-Marc tente de boire et naturellement s'étrangle.

Intérieur nuit — Château de Saint-Adolphe

Couchée sur un lit de camp, Béatrice tente de dormir. Assis sur un autre lit, l'évêque Romaric a son portable à l'oreille.

ROMARIC

Yves, tu sais très bien que les téléphones sont strictement interdits ici. J'ai rappelé uniquement parce que j'ai vu que c'était toi… Non, je suis pas seul si tu veux savoir, je suis avec quelqu'un, tu veux lui parler? Très bien…

Il tend le téléphone à Béatrice en levant les yeux au ciel.

BÉATRICE

Allô?… Béatrice… la comtesse de Savoie…

Elle redonne le téléphone à Romaric.

ROMARIC

« Désolé », c'est pas suffisant, mon vieux! J'ai jamais été avec quelqu'un d'aussi jaloux… Le bureau? Ils sont malades! Je le sais qu'on a eu le contrat d'Airbus, mais demain, c'est dimanche, mon vieux, et je suis dans le bois à deux cents kilomètres de Montréal!

Extérieur nuit — Étang Sainte-Hélène — Le bain

Jean-Marc est maintenant seul dans le bain. La tête appuyée sur le rebord, il contemple les étoiles. À quelques centimètres derrière lui surgit brusquement le visage noir de la première Furie.

FURIE I

Vous êtes seul?

JEAN-MARC *(en sursautant)*

Ahhhh!

Effrayé, il avale de l'eau et s'étouffe.

FURIE I

Je vous ai fait peur?

JEAN-MARC

Euh... Ben non... C'est à dire que oui, dans les circons-tances... Je vous ai pas entendue venir...

Jean-Marc a à peine repris son souffle que la seconde Furie sort de l'eau à quelques centimètres derrière lui.

FURIE II

Vous cherchez de la compagnie?

Jean-Marc sursaute de nouveau.

JEAN-MARC

Ahhhh!

Puis la troisième Furie se glisse dans le bain.

FURIE III

Vous êtes trop nerveux.

FURIE I *(elle se rapproche de Jean Marc)*

Tu pourrais connaître avec nous des plaisirs inimaginables.

Jean-Marc est coincé au milieu du bain, entouré des trois Furies.

JEAN-MARC

J'imagine.

FURIE II

Il y a un prix à payer.

JEAN-MARC

Malheureusement, j'ai très peu d'argent.

FURIE III

Qui parle d'argent?

FURIE I

Une coupe de sang et une signature. Pour ton âme.

FURIE II

La récompense est sublime.

JEAN-MARC

Non, mon âme appartient à la comtesse de Savoie!

FURIE I *(en riant)*

Ah !

> *Jean-Marc tente de sortir du bain. Les Furies le retiennent un peu.*

FURIE III

La comtesse de Savoie est promise à un chevalier.

JEAN–MARC

Je sais, mais je veux quand même tenter ma chance.

FURIE III

Pauvre innocent !

FURIE I *(vexée)*

Tu refuses les avances des filles de Teratos ?

JEAN–MARC

J'ai été extrêmement flatté, sincèrement.

FURIE II *(fâchée)*

Tu défies l'esprit du mal ?

FURIE III *(menaçante)*

Prends garde.

JEAN–MARC

Je suis vraiment désolé, mais… *(Il sort du bain et s'enveloppe dans une peau de bête.)* Vous êtes charmantes, mais… bonne nuit, à demain!

> *Jean-Marc s'éloigne, enveloppé dans sa peau de bête. Les trois Furies restent dans l'eau, on ne voit que leurs trois têtes noires qui dépassent de l'eau comme des grenouilles.*

FURIE I *(suivant Jean-Marc des yeux)*

Vengeance, mes sœurs.

FURIE II ET III *(en chœur)*

Vengeance!

Extérieur jour — Place des tournois

> *Toute la société médiévale est réunie autour de la place des tournois. L'évêque Romaric apparaît sur l'estrade, suivi de Béatrice et des dames de la cour. Sur leur monture, les quatre chevaliers se tiennent au centre de l'arène. Jean-Marc est dans la foule à côté de saint Bernard. Un bedeau actionne la cloche qui annonce le début du tournoi.*

HÉRAUT

Pour la main de la comtesse Béatrice de Savoie! Keiser von Eichstad, le margrave de Brandebourg! Beaudoin de Bruges, comte de Flandres ! Marco da Gente, seigneur de Parme ! Fulbert de Mortelune, le Prince Noir ! *(Ce dernier se fait huer par la foule.)*

> *Tour à tour, les quatre chevaliers font galoper leur cheval jusqu'au centre de l'arène, devant l'estrade où les contemple Béatrice.*

SAINT BERNARD *(à Jean-Marc)*

C'est secondaire, tout ça.

JEAN-MARC

Qu'est-ce qui est secondaire ?

SAINT BERNARD

Les combats, les costumes. Les gens sont ici pour autre chose.

JEAN-MARC

Vous pensez ?

SAINT BERNARD

Le peuple cherche l'ordre et la foi.

> *Une trompette retentit et le premier combat commence. Marco da Gente est rapidement vaincu par Keiser von Eichstad. La foule en liesse clame son approbation. Jean-Marc se déplace parmi la foule, suivi à distance par les Furies qui le surveillent. Il rejoint les Vikings*

et leurs compagnes, visiblement amochés par leur cuite de la veille.
Il s'assoit à côté de Thorvald, qui est allongé sur une botte de foin,
un sac de glace sur la tête. Les Furies se cachent non loin de là. Jean-
Marc regarde le spectacle, l'air de s'amuser. La trompette retentit et
un deuxième combat commence. Beaudoin de Bruges est rapide-
ment vaincu par le Prince Noir. Puis celui-ci affronte von Eichstad.
Le Prince Noir fait continuellement preuve de déloyauté, il fait tré-
bucher son adversaire, l'attaque de dos, etc. La foule proteste à
grands cris. Les deux chevaliers finissent par s'affronter à pied, à
l'épée. Le Prince Noir finit par l'emporter. Sur l'estrade, Béatrice a
l'air désespérée. Vaincu, von Eichstad enlève son casque et salue la
comtesse, qui paraît désolée. L'évêque se lève de son fauteuil.

ROMARIC

Le Prince Noir a triomphé! *(La foule crie son désaccord.)* Il épou-
sera donc en droit la comtesse Béatrice. Quelqu'un s'oppose-
t-il à cette union?

Béatrice, désespérée, regarde partout en se tordant les mains.

FURIE I

Oui!

FURIE II

Ici!

FURIE III

Lui!

Elle pointe le doigt vers Jean-Marc.

FURIE II

Il s'oppose !

FURIE III

Il est prêt à se battre !

Hurlements d'approbation de la foule.

JEAN-MARC *(en se levant)*

Un instant ! Un instant !

FURIE I

Il nous l'a juré !

JEAN-MARC

J'ai rien juré !

THORVALD *(en se levant lui aussi)*

T'as juré quoi !?

JEAN-MARC

Rien.

Pendant ce temps, le Prince Noir est remonté sur son cheval et se dirige au galop vers Jean-Marc. Les Furies sautent dans l'arène et s'adressent au Prince Noir.

FURIE II

Son âme appartient à la comtesse !

FURIE III

Il veut vous empêcher de la toucher !

FURIE II

Il nous l'a dit !

JEAN-MARC

C'est faux ! J'ai jamais dit ça ! Jamais de la vie !

FURIE I

Tu l'as dit !

FURIE II

On l'a entendu !

FURIE III

Renégat !

FURIE I

Relaps !

L'évêque lève la main, le silence se fait.

ROMARIC

Refusez-vous de vous battre pour votre souveraine ?

Béatrice et Jean-Marc échangent un long regard.

JEAN-MARC

Non, mais…

La foule hurle de joie. Les Furies entourent Jean-Marc.

FURIE I

Il accepte !

FURIE II

Il a dit oui.

FURIE III

Nous l'avons entendu !

Béatrice sourit, ravie. Jean-Marc, pris au piège, n'a d'autre choix que de se battre.

Extérieur jour — Enclos des chevaux

Les Vikings et leurs compagnes tentent d'aider Jean-Marc à revêtir une armure. Ce ne sont pas des experts en chevalerie, et ils sont encore soûls de la veille. La confusion est totale. Thorvald s'inquiète pour son ami.

THORVALD

La meilleure chose : fais semblant de te blesser en commençant. Ils seront obligés d'arrêter le combat.

JEAN-MARC

Il en est pas question ! Pour une fois, dans ma vie, je vais me battre !

THORVALD *(haussant les sourcils)*

L'hôpital de Saint-Jérôme est pas loin. Je vais téléphoner tout de suite pour l'ambulance.

JEAN-MARC *(insulté)*

C'est le Prince Noir qui va avoir besoin d'une ambulance !

THORVALD

D'accord, mais tu serais mieux d'enlever tes lunettes.

JEAN-MARC

Je vois pas très bien sans mes lunettes.

THORVALD

C'est peut-être aussi bien.

Jean-Marc met son casque, qui est trop serré. Puis il essaie en vain de monter sur son cheval. Il marmonne à travers son casque, et les Vikings l'aident à grimper, mais ils lui donnent une poussée trop violente, et Jean-Marc s'écrase sur le sol de l'autre côté, tête la première, dans un grand bruit de ferraille. Il se relève, complètement étourdi, et remonte de lui-même sur le cheval, mais à l'envers. Thorvald l'observe d'un air découragé.

THORVALD *(à Jean-Marc)*

En ce moment, là, on a un problème.

JEAN-MARC *(marmonnant à travers son casque)*

Quel problème ?

THORVALD

Ça, c'est l'arrière du cheval. Il va galoper dans cette direction-là !

Jean-Marc se retourne dans la direction indiquée par Thorvald.

Extérieur jour — Place des tournois

Jean-Marc pénètre dans l'arène, bringuebalant sur le dos du cheval et se cramponnant tant bien que mal. La foule rit. Le Prince Noir se positionne d'un côté, et Thorvald apporte sa lance à Jean-Marc.

THORVALD

Tiens, fais pas le fou, O.K. ?

Jean-Marc tient sa lance vers le haut.

THORVALD *(suite)*

Baisse ta lance, baisse ta lance ! *(La trompette retentit pour annoncer le début du combat.)* Et maintenant, c'est par là ! *(Il indique dans quelle direction Jean-Marc doit aller.)* Par là !

Les deux chevaliers s'élancent l'un vers l'autre à toute allure. La lance de Jean-Marc décapite presque le prince, qui tombe de son cheval. La foule hurle de joie. Au bout de sa course, Jean-Marc tombe à son tour. La foule rit. Le Prince Noir se relève et se dirige vers Jean-Marc. Celui-ci se relève à son tour, Thorvald lui tend une épée. Le Prince Noir dédaigne l'épée offerte par son écuyer. Jean-Marc porte un coup d'épée ridicule au Prince Noir, qui lui arrache l'arme des mains et la brise sur son genou. Il empoigne Jean-Marc, le soulève de terre et s'approche de la tribune des dignitaires. Il secoue Jean-Marc comme un fétu de paille et le cogne violemment contre un des piliers qui supportent la tribune. La tribune tremble. En haut, Béatrice manque de s'évanouir.

BÉATRICE

Oh, mon Dieu !

L'évêque se voile le visage.

ROMARIC

Seigneur Jésus, ayez pitié de lui !

Le Prince Noir frappe encore Jean-Marc contre le pilier. L'énorme cloche en fonte qui se trouve au-dessus se détache de son crochet et tombe sur la tête du Prince Noir, qui s'effondre sur le sol. Jean-Marc tombe à son tour, épuisé. Tous les spectateurs sont médusés, y compris Béatrice et l'évêque. La foule hurle. L'évêque finit par se lever de son fauteuil.

ROMARIC *(suite)*

Le combat est déclaré nul ! *(Cris de joie de la foule.)* Le mariage de la comtesse de Savoie est reporté ! *(Béatrice est ravie.)* Le Concile devra trancher !

La foule se réjouit, les Vikings sont triomphants. Dépitées, les Furies remettent leur capuchon noir et s'éloignent.

Intérieur nuit — Appartement de Béatrice

On voit d'abord le visage de Béatrice convulsé de plaisir.

BÉATRICE

Oh, mon page ! Oh, mon cher page ! Oh, mon courageux page !

On découvre Jean-Marc en train de baiser les seins de Béatrice. Tous deux sont encore en costumes d'époque. Béatrice a tout simplement permis à Jean-Marc d'ouvrir son corsage. Ils sont assis sur un banc

d'inspiration médiévale qui semble tout à fait inconfortable. Au bout
d'un moment, Béatrice repousse brusquement Jean-Marc.

BÉATRICE *(suite)*

C'est assez, maintenant ! Ça suffit. C'est assez.

JEAN-MARC *(rajustant ses lunettes)*

Cesser ?

Béatrice referme son corsage.

BÉATRICE

N'insiste pas.

Elle remet de l'ordre dans ses cheveux.

JEAN-MARC *(stupéfait)*

Mais j'ai affronté le Prince Noir, moi, cet après-midi !

BÉATRICE

Oui, et tu as eu ta récompense.

Elle touche ses seins.

JEAN-MARC

Et c'est terminé, là ?

BÉATRICE

C'est déjà beaucoup. Sais-tu combien de chevaliers rêvent à une faveur comme celle-là ? *(Elle touche encore à ses seins, puis emprunte un ton solennel.)* J'appartiendrai au dernier vainqueur.

Béatrice pousse un soupir. Jean-Marc se lève et fait quelques pas.

JEAN-MARC

Je suis désolé, mais ça va pas du tout !

Elle se lève à son tour et vient le rejoindre pour lui murmurer à l'oreille.

BÉATRICE

Il faut savoir attendre… La vraie volupté est dans le désir. Tous les troubadours le savent.

JEAN-MARC *(la regardant dans les yeux)*

Je vais être franc avec toi, là : tes troubadours, j'en ai rien à cirer !

Un silence. Jean-Marc se dirige vers la porte, puis se retourne vers Béatrice.

JEAN-MARC *(suite)*

Je sais pas ce que tu cherches mais…

BÉATRICE *(l'air hautain)*

J'ai pas à chercher, j'ai déjà trouvé.

JEAN-MARC

Non, ça peut pas être une solution…

BÉATRICE

C'est une solution pour moi.

> *Jean-Marc ouvre la porte, puis se retourne de nouveau vers elle.*

JEAN-MARC

Ben, je te souhaite d'être heureuse.

> *Jean-Marc sort de l'appartement, laissant là Béatrice, l'air un peu troublée, qui referme lentement la grosse porte en bois.*

Extérieur nuit — Cottage des Cormier-Leblanc

> *Jean-Marc arrive chez lui, gare la voiture dans l'entrée. Toujours en costume médiéval, il descend de la voiture et remarque que l'une des fenêtres du sous-sol est éclairée Il s'approche et, à travers le rideau de tulle, voit sa fille Mégane agenouillée devant Kevin Turpin, le jeune voisin, occupée à lui prodiguer une fellation. Jean-Marc se précipite dans la maison.*

Intérieur nuit — Cottage des Cormier-Leblanc

> *Jean-Marc descend au sous-sol en courant. Kevin est en train de rattacher sa ceinture.*

JEAN-MARC

Kevin Turpin, tu sors d'ici, maintenant !

MÉGANE

C'est quoi ce costume-là ? T'as l'air débile !

JEAN-MARC

Kevin, chez vous !

> *Kevin s'en va. Mégane reste assise sur le divan.*

MÉGANE *(à Jean-Marc)*

C'est quoi ton problème ?

JEAN-MARC

Je t'ai vue par la fenêtre !

MÉGANE

Ah, t'es rendu voyeur !

> *Jean-Marc fait un pas vers elle comme pour la frapper, elle s'esquive.*

MÉGANE *(suite)*

Il y a cinq filles dans ma classe qui sont en fugue! Écœure-moi
encore une fois, et tu me reverras jamais!

> *Elle sort. Jean-Marc se laisse tomber sur le divan, abasourdi et*
> *confus.*

Extérieur jour —Autoroute de banlieue

> *Sur une autoroute de banlieue, des centaines de voitures avancent*
> *péniblement.*

Intérieur jour — Hospice — Chambre de la mère
de Jean-Marc

> *Attachée sur son lit, la mère de Jean-Marc gémit et se tord. De*
> *larges sangles immobilisent ses poignets et ses chevilles. Une lourde*
> *ceinture écrase sa poitrine contre le matelas. Elle a été intubée, et le*
> *boyau qui sort de sa bouche a été fixé avec du ruban adhésif. Elle*
> *bouge la tête de gauche à droite en signe de dénégation. Ses yeux*
> *sont pleins de larmes. Jean-Marc est penché au-dessus du lit, com-*
> *plètement dépassé.*

JEAN-MARC

Je sais pas quoi faire, maman. Je te jure, je sais pas. Ils me disent
que c'est nécessaire, autrement… *(Il se met à pleurer.)* Qu'est-ce
qu'il faut faire? J'ai personne à qui demander…Y a personne!
(Il regarde autour de lui.) Vraiment personne!

> *Sa mère geint de plus belle, et Jean-Marc lui caresse la joue.*

Intérieur jour — Train de banlieue

Tôt le matin. Assis près d'une fenêtre dans le train de banlieue, Jean-Marc regarde dans le vide.

Intérieur jour — Stade olympique

Sous la rotonde, le Gardien principal gère le trafic des requérants.

Intérieur jour — Stade olympique — Bureau de Jean-Marc

Pierre est de nouveau assis dans le bureau de Jean-Marc, l'air accablé.

PIERRE

Je suis allé à la Société d'habitation, comme vous me l'avez suggéré. Ils ne veulent pas tenir compte du fait que les quatre cinquièmes de mon revenu sont saisis par mon ex-femme. Je touche un salaire confortable, mais je vis sous la ligne de la pauvreté. C'est absurde.

En face de lui, Jean-Marc est prostré. Il n'écoute plus rien.

PIERRE

Évidemment, vous vous en fichez royalement.

JEAN-MARC *(la tête toujours baissée)*

Non, non, je ne m'en fiche pas.

PIERRE

Je suis sûr que vous avez une vie confortable, vous, et que…

Jean-Marc relève la tête soudainement.

JEAN-MARC

Moi? Moi, monsieur, quand j'étais étudiant, j'écrivais des articles amusants dans le journal du collège. Je faisais de la politique : j'ai été élu vice-président du conseil étudiant. À l'université, j'étais à l'atelier de théâtre. *(Il se lève de son fauteuil.)* J'ai joué *Douze hommes en colère,* moi, monsieur! Je faisais de la photo, de la vidéo, j'ai fait partie d'un groupe rock. *(Il se déplace dans le cubicule.)* J'ai participé à des manifestations contre la chasse aux phoques, contre les centrales nucléaires. J'ai réclamé l'indépendance du Québec. J'ai même été arrêté par la police une fois. Et maintenant, ma femme est partie à Toronto se faire sauter par le président de sa compagnie. Mes filles pratiquent l'amour oral avec de jeunes voisins dans mon sous-sol, et chaque jour ouvrable de l'année, je fais vingt minutes de voiture, quarante-cinq minutes de train, et vingt-cinq minutes de métro pour venir ici écouter des gens encore plus mal foutus que moi. Tout ça, monsieur, est extrêmement inconfortable!

Jean-Marc se tient debout à l'entrée de son cubicule.

PIERRE

Au moins, vous êtes encore jeune.

Jean-Marc quitte le cubicule et se dirige vers William qui, ayant entendu quelque chose, est sorti du sien.

JEAN-MARC

Salut, mon vieux. Je m'en vais. C'est assez !

Il donne une accolade à William puis s'approche de Laurence, qui elle aussi se tient devant son cubicule. Il lui fait la bise.

JEAN-MARC *(suite)*

Bonne chance, ma vilaine lesbienne !

Ils s'étreignent, puis Jean-Marc s'éloigne dans l'allée entre les cubicules. Il enlève la carte d'identité qu'il avait autour du cou. On entend la voix de Carole, dépourvue de son agressivité ordinaire.

CAROLE *(v. o.)*

Jean-Marc…

Carole a l'air triste. Jean-Marc se retourne vers elle.

JEAN-MARC

Madame Bigras-Bourque ! Réjouissez-vous, à partir de maintenant…

CAROLE

L'hospice, pour ta mère, ils viennent de téléphoner…

Le visage de Jean-Marc se défait. Il se dirige lentement vers la sortie du bureau, son veston à la main. Il descend l'escalier. Sous la rotonde, une file de requérants attend patiemment. Jean-Marc passe près d'eux et s'arrête.

JEAN-MARC

Vous venez ici pour rien. C'est inutile. *(Il fait quelques pas et conti-nue de s'adresser aux autres requérants.)* Nous n'avons aucune solu-tion. Vos vies sont trop compliquées. La situation est trop com-plexe.

> *Jean-Marc s'éloigne.*

Intérieur jour — Hospice — Chambre de la mère de Jean-Marc

> *Jean-Marc entre dans la chambre où repose le corps de sa mère. Il dépose un baiser sur son front, éclate en sanglots. Il reste un long moment près du lit, incapable de se maîtriser.*

Intérieur jour — Hospice — Corridor

> *Deux infirmiers poussent la civière où repose le corps de la mère. Jean-Marc les suit, accompagné de la directrice de l'hospice.*

DIRECTRICE

Vous voulez un service religieux?

JEAN-MARC

Non.

DIRECTRICE

Avez-vous un terrain de famille dans un cimetière?

Jean-Marc pleure.

JEAN-MARC

Non.

DIRECTRICE

Vous voulez faire paraître un avis dans les journaux ?

JEAN-MARC

Non. Elle avait personne.

Extérieur jour — Rue de banlieue

Jean-Marc roule en pleurant. Une voiture sport tente de le doubler, mais il ne peut pas changer de voie. Jean-Marc s'arrête à un feu rouge et l'autre voiture frappe son pare-choc. Le conducteur s'énerve et hurle dans sa voiture. Jean-Marc démarre brusquement, malgré le feu rouge, et manque de se faire frapper par deux voitures arrivant de chaque côté. Jean-Marc freine, engage la marche arrière et recule à toute vitesse dans la voiture qui l'importunait. Le choc est important, les dommages substantiels. Les deux voitures sont imbriquées l'une dans l'autre, de la fumée s'échappe du moteur de la voiture sport. Jean-Marc descend de sa voiture et s'éloigne malgré le tumulte. Le conducteur de la voiture sport sort à son tour. Il est désespéré.

CONDUCTEUR

Mon char, tabarnak ! Kossé qu'y a faite à mon char ! Hostie !

Extérieur jour — Cottage des Cormier-Leblanc

> Jean-Marc arrive chez lui en taxi, et s'étonne de voir la voiture de
> Sylvie garée dans l'entrée.

Intérieur jour — Cottage des Cormier-Leblanc

> Jean-Marc entre dans la maison. On entend la voix de Sylvie qui
> parle dans son portable.

SYLVIE *(v. o.)*

Pas du tout ! Je vais être au bureau demain matin sans problème.
Excuse-moi, Nicole, j'ai un appel sur une autre ligne. Je te
reviens tout de suite…

> Jean-Marc monte l'escalier.

SYLVIE *(v. o.) (suite)*

Allô ? Oui, c'est moi… En fin de matinée si vous voulez.
Disons onze heures ? D'accord, à demain !

> Jean-Marc entre dans la chambre où Sylvie est en train de défaire
> ses valises. Il s'arrête devant elle, incrédule, tandis qu'elle continue
> de ranger ses vêtements dans la penderie.

JEAN-MARC *(d'un ton las)*

Qu'est-ce que tu fais ici ?

SYLVIE *(toujours aussi acariâtre)*

J'ai pas aimé Toronto.

> *Jean-Marc la regarde un instant, puis tourne les talons et redescend au rez-de-chaussée. Sylvie le suit en haut de l'escalier. Il ouvre la porte de la maison.*

SYLVIE

Je te ferai remarquer que je suis propriétaire de la moitié de cette maison-là ! Je peux revenir quand je veux !

> *Jean-Marc sort de la maison, Sylvie se précipite à sa suite.*

Extérieur jour — Cottage des Cormier-Leblanc

> *Jean-Marc s'éloigne dans la rue. Sylvie se tient sur le perron.*

SYLVIE

Tu t'en vas où, là, comme ça ? *(Elle se met à le suivre dans la rue.)* J'aimerais ça un jour que tu me dises exactement ce que tu me reproches ! Il fallait se marier ? Je me suis mariée. Il fallait avoir des enfants ? J'ai des enfants. Il fallait avoir une carrière ? J'ai une carrière. Il fallait performer : je performe. Je suis le troisième meilleur agent immobilier en seconde couronne de tout le Canada ! De l'Atlantique au Pacifique !

> *Jean-Marc continue de marcher sans retourner. Sylvie accélère le pas derrière lui.*

SYLVIE *(suite)*

Il fallait savoir relaxer : j'ai fait du yoga. Il fallait prendre des vacances : on va à Cuba chaque année. Il fallait rester jeune : je fais deux heures de gym tous les deux jours. Tu veux quoi de plus ! ? Du sexe ! ?

Jean-Marc, de dos, continue de marcher.

SYLVIE *(suite)*

C'est toi qui en demandes jamais ! Je t'avertis, Jean-Marc : si tu reviens pas à la maison maintenant, tu y reviendras jamais. Il y a autre chose aussi que je voulais te dire. *(Elle se rapproche de Jean-Marc en courant presque.)* Je peux plus supporter ta condescendance. Comme si t'étais tellement plus intelligent que moi, tellement plus profond, tellement plus brillant ! Réveille, Jean-Marc Leblanc ! T'as réussi quoi, toi, dans ta vie ! ?

Jean-Marc s'arrête et se retourne. Il parle doucement, comme s'il était en train de découvrir une grande vérité.

JEAN-MARC

Tu sais, je pensais jamais que ça m'arriverait un jour, mais je pourrais te tuer. Je veux dire : ça n'est pas inimaginable.

Laissant Sylvie plantée là, interloquée, Jean-Marc se retourne et s'éloigne dans la rue.

Extérieur jour — Une route du Bas-du-Fleuve

*C'est la fin du jour. Un autobus s'arrête à une croisée des chemins.
Jean-Marc en descend. Il porte le même complet-veston que dans
la scène précédente, et il n'a pas de bagages. Il s'engage à pied sur
la route perpendiculaire.*

Extérieur jour — Une route du Bas-du-Fleuve

À pied, Jean-Marc transporte maintenant des sacs d'épicerie.

Extérieur jour — Chalet

*Jean-Marc arrive près d'un petit chalet situé au bord du fleuve. Le
ciel est tout rose dans les lueurs du couchant.*

Intérieur jour — Chalet

*Dans le chalet, dont on sent qu'il n'a pas été habité depuis long-
temps, Jean-Marc tire les rideaux pour dégager les grandes fenêtres
qui donnent sur le fleuve. Il allume un feu dans le poêle pour chas-
ser l'humidité. Il s'allume une cigarette, en prend quelques bouf-
fées, puis la jette dans le feu.*

Extérieur jour — Chalet

*Jean-Marc sort du chalet, vêtu d'une chemise de chasse et chaussé
de bottes en caoutchouc. Il s'avance et contemple le fleuve. Il vente.
Les vagues viennent se cogner sur les rochers.*

Intérieur jour — Chalet

Le feu flambe dans le poêle. Assis à la table du chalet, Jean-Marc
est interviewé par Karine Tendance. Elle est accompagnée d'un
caméraman qui filme l'entretien.

KARINE

Jean-Marc Leblanc, on ne vous voit plus à Paris, on ne vous voit
plus à New York, la rumeur veut que vous soyez retiré ici dans
l'intention d'écrire un livre de réflexions, un livre philoso-
phique…

JEAN-MARC

Oui… Je crois que le but de ma démarche est en fait la
recherche d'une certaine forme de sagesse. On pourrait, je
pense, caractériser notre époque par un mot : la désintégra-
tion… *(Un silence.)* Non, écoute, ça n'a aucun sens ! Il n'y a pas
un réseau de télévision au monde qui t'enverrait enregistrer les
élucubrations d'un inconnu.

KARINE

C'est sûr… Même pour une star, on viendrait pas jusqu'ici.

Elle regarde le fleuve par la fenêtre, tandis que Jean-Marc réfléchit.

JEAN-MARC

As-tu déjà eu une aventure avec un homme que tu as interviewé ?

KARINE *(affichant un grand sourire)*

Jamais. Je suis mariée, je suis heureuse…

JEAN-MARC

Ben, écoute, malgré tout, c'était un plaisir de t'avoir avec moi !

KARINE

Il y a pas de quoi !

> *Elle lui fait adieu de la main, puis son image se désintègre.*

Intérieur jour — Chalet

> *Carole et Laurence apparaissent comme par enchantement sur le divan du chalet. Jean-Marc les contemple avec affection. Elles lui sourient, puis lui soufflent un baiser et disparaissent chacune son tour.*

Extérieur jour — Chalet

> *Vue sur le fleuve, un bateau passe au loin. Une femme d'âge moyen et un homme âgé marchent sur la plage en se donnant le bras. La femme est souriante, alors que l'homme semble complètement absent. Ils s'approchent de Jean-Marc, qui est assis sur la petite terrasse du chalet.*

CONSTANCE *(chaleureuse)*

Bonjour !

JEAN-MARC

Bonjour.

CONSTANCE

C'est à vous, le chalet ?

JEAN-MARC

C'était à mon père.

CONSTANCE

Vous êtes là pour longtemps ?

JEAN-MARC

Je sais pas.

CONSTANCE

Ça va nous faire différent d'avoir un voisin… Bonne journée !

JEAN-MARC

À vous aussi.

Extérieur jour — Chalet

> *Un vol d'oies blanches passe au-dessus du fleuve en caquetant,*
> *puis vient se poser près de la rive. On entend la voix de Jean-Marc.*

JEAN-MARC *(v. o.)*

Je sens que maintenant, notre relation m'appauvrit…

> *Sur la terrasse du chalet, on découvre Veronica, assise sur un siège*
> *royal. Elle porte une longue robe argentée ainsi qu'une très longue*
> *cape en velours rouge. Jean-Marc est assis tout près sur un rocher.*

JEAN-MARC *(suite)*

Je sais pas si tu vois ce que je veux dire…

VERONICA *(vexée)*

Je vois pas, non !

JEAN-MARC

C'est comme si tu me détachais de ma propre vie, tu vois, et…
c'est pas bien, c'est…

VERONICA *(tranchante)*

Excuse-moi, je comprends mal, là ! Tu essaies de me dire que tu
n'es pas heureux de me voir ici, c'est ça ?

JEAN-MARC

Non, c'est pas ça du tout ! Non, non ! Je suis très heureux,
très…

VERONICA *(dépitée)*

Il me semble qu'il y a une erreur quelque part… *(Elle se lève, contemple le fleuve, puis continue en montant le ton.)* Le nombre de soirées pourries que j'ai passées dans ton cabanon au fond de ta cour, à toujours écouter les mêmes histoires minables !

JEAN-MARC

Je sais…

VERONICA *(furieuse)*

Le nombre de fois où tu m'as fait venir dans ta douche, même quand ta femme était là… Jamais une seule fois je n'ai refusé d'apparaître quand tu m'as appelée !

JEAN-MARC

Non, c'est vrai.

VERONICA

Maintenant que tu veux changer ta vie, tu commences par te débarrasser de moi.

JEAN-MARC

Non, c'est pas ça, c'est pas ça du tout…

VERONICA *(prête à pleurer)*

C'est totalement injuste !

JEAN-MARC

Je suis désolé.

Veronica se lève, fait quelques pas sur la terrasse avec sa cape qui gonfle au vent. Le ciel est noyé dans les lueurs du couchant. Elle se retourne vers Jean-Marc.

VERONICA

Je méritais mieux que ça, il me semble !

Accompagnée par un air d'opéra, Veronica s'engage sur un petit quai au bout duquel des marins bretons l'aident à monter dans une grande barque. La barque s'éloigne, emportant Veronica et son équipage. Le ciel est d'une beauté dramatique. Sur la berge apparaît le jeune chanteur de la première séquence. Il attaque l'air Lungi dal caro bene *de Guiseppe Sarti et regarde la barque s'éloigner, toutes voiles dehors. À côté de lui, Jean-Marc se met à chanter à son tour. Il fausse horriblement, et le chanteur s'adresse à lui en anglais.*

CHANTEUR

Sir ?

JEAN-MARC

Yes ?

CHANTEUR

Please, shut up !

169

JEAN-MARC

O.K.

CHANTEUR

Thank you…

> Jean-Marc se tait, l'air résigné. Le jeune chanteur reprend son chant. La barque vogue sur le fleuve.

Intérieur nuit — Chalet

> Ayant du mal à dormir, Jean-Marc se retourne dans son lit. Par les grandes fenêtres du chalet, on voit les lueurs de l'aube apparaître par-delà les montagnes de l'autre rive.

Extérieur jour — Chalet — Pension

> Le lendemain matin, Jean-Marc observe le vieil homme lancer sa canne à pêche dans le fleuve. Puis il marche sur la grève et découvre une grande maison en bois blanc, possiblement un ancien couvent. Il s'approche et trouve Constance occupée à tailler des arbustes près de la porte d'entrée. Elle est aidée par une dame aux cheveux blancs. Elle aperçoit Jean-Marc.

CONSTANCE

Cherchez-vous quelque chose à faire ?

JEAN-MARC

Si vous voulez.

CONSTANCE

Vous sentez-vous la force de travailler dans le jardin ?

JEAN–MARC

Je peux essayer.

> On découvre que diverses personnes sont à l'œuvre sur le terrain et que la maison est en fait une pension pour personnes âgées. Jean-Marc pousse une brouette remplie de foin qu'il décharge auprès d'Esther, une dame qui travaille dans le potager. Elle porte des vêtements colorés et brodés, comme dans les années soixante. Il s'arrête un instant pour la regarder, puis retourne chercher un autre chargement de paille.

Intérieur jour — Chalet

> Assis à la petite table du chalet face au fleuve, Jean-Marc prend son petit-déjeuner. Il entend le moteur d'une voiture qui s'arrête tout près, et sort voir de quoi il s'agit.

Extérieur jour — Chalet

> Jean-Marc découvre la voiture de Sylvie dans l'entrée. Sa fille Mégane est en train d'extirper du coffre deux gros sacs de voyage. Elle traîne un sac jusqu'à son père.

MÉGANE

On est venues te porter des vêtements. On a apporté tes livres aussi. Il va falloir que tu m'aides, c'est trop lourd.

> *Elle retourne vers la voiture, suivie de Jean-Marc. Dans le coffre, il y a une boîte en carton pleine de livres au-dessus desquels trônent des magazines pornos. Mégane les indique à son père.*

MÉGANE *(suite)*

Il y avait ça aussi avec les livres.

> *Jean-Marc s'empare de la boîte, un peu mal à l'aise.*

JEAN-MARC

C'est bizarre ça… Je sais pas d'où ça peut venir !

MÉGANE *(transportant un autre sac pour son père)*

Tu les jetteras.

> *Jean-Marc dépose la boîte de livres près du chalet. Mégane dépose le sac. Jean-Marc tend le bras et lui caresse la joue. Mégane prend la main de son père dans la sienne, lui sourit avec affection, puis retourne à la voiture. Assise au volant, Sylvie sourit elle aussi à Jean-Marc, puis elle démarre et s'en va.*

Extérieur jour — Pension

> *Jean-Marc s'approche de la pension. Il entre dans la véranda, où Constance est en train de faire de la gelée de pommes.*

Intérieur jour — Pension

Travelling avant sur Jean-Marc, qui, dans la véranda de la pension, est en train de peler des pommes, assis sur un tabouret. La caméra s'avance vers ses mains qui travaillent avec soin. L'image se fixe ensuite sur un plat de faïence rempli de pommes. Puis l'image se transforme peu à peu en un tableau de Cézanne. Musique. Commence alors le générique de la fin, qui se déroule entièrement sur cette image.

Denys Arcand, Sainte-Anne-des-Lacs, juillet 2006

Imprimé sur du papier 100 % postconsommation,
traité sans chlore, certifié Éco-Logo
et fabriqué dans une usine fonctionnant au biogaz.

MISE EN PAGES ET TYPOGRAPHIE :
LES ÉDITIONS DU BORÉAL

ACHEVÉ D'IMPRIMER EN DÉCEMBRE 2007
SUR LES PRESSES DE MARQUIS IMPRIMEUR
À CAP–SAINT–IGNACE (QUÉBEC).